# A DEVOLVIDA

# DONATELLA DI PIETRANTONIO

# A DEVOLVIDA

**ELA FALAVA UMA OUTRA LÍNGUA E NÃO PERTENCIA A NENHUM LUGAR... ERA SEMPRE UMA HÓSPEDE.**

TRADUÇÃO:
MARIO BRESIGHELLO

© 2017 GIULIO EINAUDI EDITORE S.P.A, TORINO. WWW.EINAUDI.IT
© 2017 DONATELLA DI PIETRANTONIO - L'ARMINUTA

COPYRIGHT © FARO EDITORIAL, 2019

Todos os direitos reservados.
Nenhuma parte deste livro pode ser reproduzida sob quaisquer meios existentes sem autorização por escrito do editor.

Diretor editorial **PEDRO ALMEIDA**

Coordenação editorial **CARLA SACRATO**

Preparação **LUIZA DEL MONACO**

Revisão **BARBARA PARENTE**

Capa e projeto gráfico **OSMANE GARCIA FILHO**

Foto de capa **EFIM SHEVCHENKO | TREVILLION IMAGES**

Dados Internacionais de Catalogação na Publicação (CIP)
Angélica Ilacqua CRB-8/7057

Pietrantonio, Donatella di
  A devolvida / Donatella di Pietrantonio ; tradução de Mario Bresighello. — São Paulo : Faro Editorial, 2019.
  160 p.

  ISBN 978-85-9581-089-1
  Título original: L'Arminuta

  1. Literatura italiana I. Título II. Bresighello, Mario

19-0491                                                    CDD 853

Índice para catálogo sistemático:
1. Literatura italiana   853

1ª edição brasileira: 2019
Direitos de edição em língua portuguesa, para o Brasil, adquiridos por FARO EDITORIAL

Avenida Andrômeda, 885 - Sala 310
Alphaville — Barueri — SP — Brasil
CEP: 06473-073
www.faroeditorial.com.br

Para Piergiorgio,
que ficou tão pouco

*Até hoje, de certo modo, permaneci ligada àquele verão da minha infância, em torno do qual minha alma continuou a girar e a bater sem trégua, como um inseto atraído por uma lâmpada ofuscante.*

**ELSA MORANTE,**
*Menzogna e sortilegio*

# 1

**AOS TREZE ANOS, EU AINDA NÃO CONHECIA MINHA** outra mãe.

Subi com esforço as escadas da sua casa com uma mala pesada e uma bolsa cheia de pares de sapatos misturados. Lá no alto, fui recebida pelo cheiro de fritura recente e alguns minutos de espera. A porta estava emperrada e não queria se abrir. Alguém lá dentro mexia no trinco e a sacudia sem dizer nada, atrapalhando-se com a fechadura. Vi uma aranha balançando no vazio, pendurada na extremidade do seu fio.

Depois do clique metálico, apareceu uma menina com as tranças bagunçadas, certamente feitas já há algum tempo. Era minha irmã. Eu nunca a tinha visto antes. Abriu um pouco a porta para eu passar, mantendo os olhos curiosos sobre mim. Éramos parecidas naquela época, mais do que quando nos tornamos adultas.

# 2

**A MULHER QUE HAVIA ME CONCEBIDO NÃO SE** mexeu da cadeira. O menino que tinha nos braços mordia o polegar em um canto da boca, provavelmente no local onde começava a nascer um dente. Os dois me olhavam e, com a minha chegada, ele interrompeu seu choramingo monótono. Eu não sabia que tinha um irmão tão pequeno.

— Você chegou — disse ela. — Deixe suas coisas aí no chão.

Tudo o que eu fiz foi baixar os olhos na direção do cheiro de sapato usado que exalava da minha bolsa. Do quarto do fundo, com a porta encostada, vinha um ronco contínuo e sonoro. O menino recomeçou a resmungar e se virou na direção do peito da mãe, colando os lábios nas flores suadas do algodão desbotado.

— Não vai fechar a porta? — perguntou secamente a mãe para a menina que tinha ficado imóvel. — E a pessoa que trouxe você não vai subir? — ela indagou, agora para mim, indicando a direção da porta com o queixo pontudo.

O tio, como aprendi a chamá-lo, entrou naquele exato momento, sem ar depois de subir as escadas. No calorão daquela tarde de verão, segurava um cabide com um casaco novo em folha e do meu tamanho.

— Sua esposa não veio? — perguntou-lhe minha primeira mãe, levantando a voz para encobrir o lamento que aumentava em seus braços.

— Não sai da cama — ele respondeu virando a cabeça. — Ontem também saí para comprar alguma coisa para o inverno — disse, mostrando-lhe a etiqueta do meu casaco novo.

Fui até a janela que estava aberta e coloquei minhas coisas ali no chão. Ao longe, ouvi um barulho estrondoso, como pedras sendo descarregadas de um caminhão.

A dona da casa decidiu oferecer café ao hóspede, dizendo que o cheiro talvez acordasse o marido. Colocou o menino, que ainda chorava, no cercadinho, e passou da sala de jantar vazia à cozinha. Ele tentou se levantar, agarrando-se à rede, bem no pedaço em que havia um buraco remendado grosseiramente com barbante. Quando me aproximei, gritou mais ainda, raivoso. A irmã de todos os dias o tirou de lá com algum esforço e o deixou sobre o piso de granito. Ele engatinhou em direção às vozes que vinham da cozinha. O olhar escuro da garota foi do irmão até mim e depois se manteve baixo. Ficou impressionada com a fivela dourada dos meus sapatos novos, depois subiu os olhos pelas pregas azuis do vestido, ainda duras de fábrica. Às suas costas, voejava uma mosca enorme, que de tempos em tempos batia contra a parede em busca de algum buraco para sair dali.

— Esse vestido também foi aquele lá quem te deu? — perguntou devagar.

— Ele me deu ontem mesmo, para eu voltar para cá.

— O que ele é seu? — insistiu, curiosa.

— Um tio distante. Fiquei com ele e com a mulher dele até hoje.

— Então, quem é sua mãe de verdade? — perguntou, desanimada.

— Tenho duas. Uma delas é a sua mãe.

— Às vezes, ela me falava de uma irmã mais velha, mas eu não acredito muito no que ela diz.

De repente, a menina agarrou a manga do meu vestido como quem investiga cada detalhe passando os dedos.

— Daqui a pouco não vai mais te servir. No ano que vem você vai passar para mim, então tome cuidado para não estragar.

O pai saiu descalço do quarto, bocejando. Veio sem camisa. Ele me viu, enquanto seguia o aroma de café.

— Você chegou — disse ele para mim, exatamente como sua mulher.

# 3

**DA COZINHA, AS PALAVRAS CHEGAVAM RARAS E** desanimadas, as colheres de café não tilintavam mais. Quando escutei o barulho das cadeiras se arrastando, senti o medo travar a garganta. O tio, então, veio na minha direção para se despedir e, com um tapinha na minha bochecha, disse:

— Comporte-se bem.

— Esqueci um livro no carro, vou descer para pegar — disse acelerada e o segui pelas escadas.

Com o pretexto de procurar no porta-luvas, entrei no carro, fechei e tranquei a porta.

— Mas o que você está fazendo? — perguntou ele já sentado diante do volante.

— Eu vou voltar com você, prometo que não vou dar trabalho nenhum. Pelo contrário, a mamãe está doente e precisa da minha ajuda. Eu não vou ficar aqui, não conheço ninguém lá de cima.

— Não comece de novo. Tente ser razoável. Seus pais verdadeiros estão te esperando. Eles gostarão de você. Vai ser divertido viver em uma casa com seus outros irmãos. — Ele bafejava na minha cara o café que havia bebido há pouco, misturado com o odor do seu hálito.

— Eu quero viver na minha casa, com vocês. Se fiz alguma coisa de errado, é só me dizer e eu não farei mais. Mas não me deixe aqui.

— Desculpe, mas não podemos mais ficar com você. Nós já te explicamos tudo. Agora, por favor, pare de fazer birra e saia do carro — ele reiterou, olhando para o nada.

Debaixo da barba por fazer há alguns dias, a musculatura do maxilar tensa indicava que estava para ficar com raiva.

Desobedeci e teimei em resistir. Ele então deu um soco no volante e saiu para me arrancar do espacinho na frente do banco, embaixo do porta-luvas, onde fiquei agachada. Abriu a porta com a chave e me agarrou por um braço, rasgando um pouquinho a costura da alça do vestido que ele tinha acabado de comprar. Naquele apertão, não reconhecia mais a mão do pai de poucas palavras com quem tinha morado até aquela manhã.

Na vaga onde estava o carro ficaram apenas as marcas dos pneus e eu. E o cheiro de borracha queimada tomou o ar. Quando levantei a cabeça, das janelas do segundo andar, alguém da minha família imposta me olhava.

Ele voltou meia hora depois, escutei as batidas na porta e depois sua voz no hall. Eu o perdoei no mesmo instante e corri para pegar minhas coisas, mas quando cheguei à porta ele já estava lá embaixo, no fim da escada. Minha irmã segurava um pote de sorvete de creme, o meu preferido. Tinha voltado só para isso, não para me levar embora. E quem tomou aquele sorvete foram os outros, naquela tarde de agosto de 1975.

# 4

**NO FIM DA TARDE, OS RAPAZES MAIS VELHOS VOL-**
taram para casa, um deles me cumprimentou com um assobio, o outro nem me viu. Foram direto para a cozinha, disputando para ver quem se sentava primeiro à mesa, onde a mãe já tinha servido o jantar.

Encheram seus pratos respingando molho para todo lado. Até mim, chegou apenas uma almôndega esponjosa sobre um resto de condimento. Por dentro ela era esbranquiçada, feita de pão velho amolecido e quase nenhuma carne. Comemos almôndega de pão com mais pão mergulhado no molho, para encher a barriga.

Depois de alguns dias, eu aprendi a disputar a comida e a prestar atenção no prato para defendê-lo dos ataques dos garfos alheios. Mas, naquele primeiro dia, acabei perdendo o pouco que a mãe havia acrescentado à minha pequena porção.

Foi só depois do jantar que meus primeiros pais se lembraram de que na casa não tinha uma cama para mim.

— Esta noite você dorme com sua irmã. Vocês duas são magricelas — disse o pai. — Amanhã a gente vê o que fazer.

— Para dormirmos juntas, temos de nos deitar ao contrário — explicou-me Adriana —, a cabeça de uma perto dos pés da outra. Vamos lavá-los agora — ela me tranquilizou.

Colocamos os pés na mesma bacia, e ela se esforçou bastante para tirar a sujeira entre os dedos.

— Olhe que água preta — riu. — A sujeira era dos meus pés, os seus já estavam limpos.

Ela arranjou um travesseiro para mim e entramos no quarto sem acender a luz. Os outros rapazes respiravam como quem já havia caído no sono e o cheiro de suor era forte. Cochichando, nós nos ajeitamos conforme ela tinha me dito que seria. O colchão de lã de carneiro era mole e deformado pelo uso, e eu afundava na metade do corpo. Ele exalava xixi impregnado, um cheiro novo e repulsivo para mim. Os pernilongos estavam ávidos por sangue e eu queria me cobrir um pouco mais com o lençol, mas, durante o sono, Adriana o puxava no sentido oposto.

De repente, seu corpo deu um sobressalto, talvez ela estivesse sonhando que caía. Movi devagarinho um de seus pés e recostei a minha bochecha na sola de seu pé, com cheiro de sabão ruim. Fiquei grudada quase toda a noite àquela pele áspera, seguindo o movimento das pernas. Sentia as bordas irregulares de suas unhas quebradas. Eu tinha uma tesourinha, na manhã seguinte eu poderia emprestar a ela.

O último quarto de lua apareceu na janela aberta e a atravessou. Restaram apenas o rastro das estrelas e a mínima sorte de enxergar, daquele ângulo, o céu sem o obstáculos de outras casas.

"Amanhã a gente vê o que fazer", tinha dito o pai sobre a minha cama, mas depois se esqueceu. E eu e Adriana não lhe pedimos nada. Toda noite, ela me emprestava um pé para recostar a bochecha. E eu não tinha nada além daquele apoio naquela escuridão recheada de respirações.

# 5

**UM CALOR MOLHADO SE ESPALHOU SOB MINHAS** costelas e pela lateral do meu corpo, fazendo com que eu me levantasse num impulso. Coloquei as mãos entre as minhas pernas, estava seco. Adriana se mexeu no escuro, mas continuou deitada. Encolheu-se em um canto da cama e voltou a dormir como se estivesse habituada. Pouco depois, eu também voltei para a cama, ocupando o menor espaço possível. Eram dois corpos ao redor daquela umidade.

Pouco a pouco, o cheiro intenso evaporou, sobrando apenas uma lufada malcheirosa vez ou outra. Quase de madrugada, um dos meninos, não sei qual, começou a se agitar em um ritmo crescente, resmungando.

Pela manhã, Adriana acordou, mas ficou deitada com a cabeça no travesseiro e os olhos abertos. Depois, me olhou por alguns segundos, sem dizer nada. A mãe veio chamá-la com o menino no colo e farejou o ar.

— Você se mijou de novo? Muito bem! Dá logo para notar.

— Não fui eu — respondeu Adriana, virando-se para a parede.

— Ah, claro, talvez tenha sido sua irmã, com a educação que ela tem. Levante-se da cama que já é tarde — disse a mãe, e logo elas foram para a cozinha.

Eu não estava pronta para segui-las, além do mais, não sabia exatamente para onde ir. Fiquei ali, em pé, sem coragem para ir até o banheiro. Um irmão acordou e sentou-se na cama, com as pernas abertas. Levantou-se e segurou com a mão a cueca surrada, entre um bocejo e outro. Quando viu que eu estava no quarto, começou a me observar, esfregando a testa. Encarou meus seios, sob a camiseta regata que, com aquele calor, eu usava no lugar do pijama. Por instinto, cruzei os braços sobre o volume que havia aumentado havia pouco tempo, enquanto o suor escorria das axilas.

— Você dormiu aqui? — perguntou com voz de garoto adolescente.

Respondi que sim, constrangida, ele continuou a me examinar sem vergonha.

— Tem quinze anos?

— Não, vou fazer catorze.

— Mas parece que tem quinze, ou mais. Você cresceu rápido — concluiu.

— E você, quantos anos tem? — perguntei, quase que por educação.

— Eu tenho quase dezoito, sou o mais velho. Já trabalho, mas hoje não vou.

— Por quê?

— O patrão não precisa de mim hoje. Só me chama quando precisa.

— O que você faz?

— Sou servente de pedreiro.

— E a escola?

— Aquela droga? Saí no sétimo ano, porque iam me repetir.

Observei os músculos moldados pelo trabalho, os ombros fortes. Uma penugem castanha destacava-se no tórax queimado de sol e no rosto. Ele também devia ter crescido rápido. Quando se espreguiçou, senti o cheiro de adulto, que não era desagradável. Uma cicatriz em forma de espinha de peixe marcava sua têmpora esquerda, talvez uma velha ferida mal suturada.

Nenhum de nós disse mais nada, e de novo ele encarava meu corpo. De vez em quando punha a mão no sexo, buscando uma posição mais confortável. Eu queria me vestir, mas ainda não tinha desfeito a minha mala, que tinha ficado no outro canto do quarto. Teria praticamente que esbarrar nele para pegá-la. Esperei que algo acontecesse.

Ele mergulhava os olhos devagar pelos meus quadris, parcialmente cobertos com o lençol branco, e descia até as pernas nuas e os pés contraídos. Eu não me mexeria.

Enfim, chegou a mãe, dizendo-lhe para se apressar, já que um vizinho estava em busca de alguém que o ajudasse em serviços no campo. Em troca, daria caixas de tomates maduros, daqueles para conserva.

— E se quiserem café da manhã, você vai com sua irmã pegar o leite — ordenou a ele e a mim, esforçando-se para amenizar o tom, mas não resistindo até o final da frase.

Na outra sala, o bebê, engatinhando, havia alcançado a minha bolsa de sapatos e os tinha esparramado ao redor de si. Mordiscava um, fazendo careta por causa do gosto amargo. Adriana limpava o feijão para o almoço, ajoelhada em uma cadeira à mesa da cozinha.

— Olha os grãos bons que você tirou para jogar fora. — Logo tomou uma bronca da mãe.

Ela não ligou.

— Vá se lavar e comprar o leite, estou com fome — a mãe me disse.

Fui a última a usar o banheiro. Os rapazes tinham molhado o chão e pisado em cima, deixando marcas de solados e de pés descalços. Em casa, nunca tinha visto o piso daquele jeito. Escorreguei, mas não me machuquei, ficando com as pernas abertas como uma bailarina. No outono, certamente, não retomaria a escola de balé nem a natação.

# 6

**LEMBRO-ME DE UMA DAQUELAS PRIMEIRAS MA**nhãs; nas janelas, uma luz opaca anunciava o temporal que cairia mais tarde, como havia acontecido nos outros dias. Havia um estranho silêncio ao redor. Adriana descera com o pequeno para a casa da vizinha no térreo e os rapazes estavam todos fora. Então, eu fiquei sozinha com a mãe em casa.

— Depene o frango — ela ordenou, estendendo-me o animal morto que segurava pelos pés com a cabeça pendurada.

Alguém deve ter subido até a casa para dá-lo a ela. Eu tinha ouvido uma conversa no corredor e, ao fim, agradecimentos.

— Depois, corte-o em pedaços — ela continuou.

— O quê? Eu não sei fazer isso.

— Vai comer o frango assim? Você sabe que tem de arrancar as penas, não sabe? Depois corte aqui e tire as vísceras — explicou balançando ligeiramente o braço estendido na minha direção.

Dei um passo para trás e desviei os olhos.

— Não consigo, fico impressionada. Posso fazer a limpeza em vez disso.

Encarou-me e não disse mais nada. Bateu a carcaça do frango na superfície da pia, fazendo um barulho abafado, e começou a arrancar as penas com raiva.

— Então essa daí só viu frango cozido. — Eu a escutei murmurando entre os dentes.

Comprometi-me com a limpeza, o que para mim não era difícil. Não sabia fazer outras tarefas domésticas, não estava habituada. Insisti com a esponja na mancha marrom que se esticava no fundo da banheira, depois abri a torneira para enchê-la. Teve de ser com água fria, porque a quente não chegava nunca, e eu não queria pedir ajuda com nada. Da cozinha, chegava de tempos em tempos o barulho do frango sendo despedaçado, enquanto eu continuava a suar sobre o azulejo sujo do banheiro. Depois de um tempo, fechei a porta por dentro com o ganchinho de ferro, entrei na banheira e me afundei. Quando estiquei a mão para pegar o sabonete, tive uma sensação de que ia morrer. O sangue fugiu da cabeça, dos braços, do peito, e eu fui ficando gélida. Eu ainda tinha alguma força para duas emergências: destampar o ralo da banheira e pedir ajuda. Não sabia como chamar a atenção daquela mulher lá na cozinha para mim, não conseguia chamá-la de mãe. Em vez de dizer algo, acabei vomitando jatos de leite azedo na água que escorria. Não me lembrava nem mesmo do nome dela, caso quisesse chamá-la. Por fim, gritei e desmaiei.

Não sei depois de quanto tempo o cheiro seco do xixi de Adriana me despertou. Eu estava deitada na cama, nua, coberta apenas por uma toalha. No chão ao lado da cama tinha um copo vazio, devia ter água com açúcar, o tratamento que a mãe usava para todo tipo de doença. Pouco depois, ela chegou à porta do quarto.

— Quando você começou a se sentir mal, por que não me chamou logo em vez de esperar o pior acontecer? — perguntou, mastigando alguma coisa.

— Desculpe, pensei que fosse passar — respondi sem olhar para ela.

Mas eu nunca a chamei, por anos. Desde que fui devolvida a ela, a palavra mãe aninhou-se em minha garganta como um sapo que dali nunca saiu. Quando precisava me dirigir a ela com urgência, procurava chamar sua atenção de modos diferentes. Às vezes, se eu carregava o menino no colo, beliscava a perna dele para fazê-lo chorar. Então, ela logo se virava na nossa direção e finalmente me dirigia a ela.

Esqueci por muito tempo as pequenas torturas que infingi ao meu irmão, e só agora, que ele tem mais de vinte anos, é que me lembrei delas, por acaso. Sentei-me ao seu lado em um banco, na casa onde ele vive hoje, e vi na sua pele uma mancha roxa igual às que antes eu lhe causava. Desta vez, tinha sido uma topada em um móvel.

No jantar, todos estavam excitados por causa da novidade do frango e Adriana perguntou se aquela refeição era o Natal do verão. Eu lutava contra a fome e o nojo de tê-lo visto eviscerado, com as tripas caindo na pia da cozinha em meio às xícaras sujas do café da manhã.

— Uma coxa é para o pai e a outra é para essa aí que hoje desmaiou — decidiu a mãe.

O que sobrou, no entanto, foram pedaços muito menores e cheios de ossos, já que o peito foi deixado para o dia seguinte. Aquele que chamavam de Sergio logo se rebelou.

— Se ela está passando mal, que tome o caldo e não coma a coxa — disse, revoltado. — Na verdade, o bom pedaço tinha de ser para mim, que mais cedo ajudei a vizinha do andar de baixo a se mudar e dei a você, mãe, o dinheiro que ganhei.

— E foi por culpa dela que você acabou quebrando a porta do banheiro — interveio o outro, estendendo o indicador na minha direção. — Essa daí só causa problema. Vocês não podem devolvê-la para quem cuidava dela antes?

Com um tapa na cabeça, o pai o empurrou para que se sentasse e o fez ficar quieto.

— Não tenho mais fome — eu disse, olhando para Adriana, e fui para o quarto.

Ela veio atrás de mim pouco tempo depois, trazendo-me uma fatia de pão e um pouco de azeite. Adriana estava de banho tomado e com outro ar, usando uma saia mais curta.

— Coma rápido, e assim que terminar troque de roupa para corrermos para a festa — disse, colocando o prato embaixo do meu nariz.

— Que festa?

— Do santo padroeiro. Você não escutou a banda? Os cantores estão começando agora, na praça. Mas não vamos para lá, Vincenzo vai nos levar para o parque de diversões — sussurrou.

Menos de meia hora depois, a cicatriz na têmpora de Vincenzo brilhava às luzes do descampado onde os ciganos estavam acampados. Ele foi o único dos rapazes que não me atacou por causa da oferta da coxa de frango. Além disso, também não chamou outros irmãos para irem conosco, só eu e Adriana o acompanhamos. Contou as moedas que havia juntado sabe-se lá como e falou com o bilheteiro. Dava para notar que se conheciam, talvez das festas dos outros anos. Fumaram juntos, pareciam ter a mesma idade e tinham o mesmo tom escuro de pele. O cigano pegou o dinheiro para as primeiras voltas e depois deixou que continuássemos a ir nos brinquedos de graça.

Eu nunca tinha subido em um chapéu mexicano antes, minha mãe dizia que os brinquedos desses parques eram muito perigosos. O filho de uma amiga dela, inclusive, já tinha esmagado o polegar no carrinho bate-bate. Adriana, no entanto, já experiente, ajudou-me a subir na cadeirinha e fechou a trava de segurança.

— Segure firme nas correntes — recomendou antes de se sentar na cadeira em frente.

Eu voei entre ela e Vincenzo. Eles me colocaram no meio exatamente para que eu me sentisse mais segura. Nos pontos mais altos eu sentia uma espécie de felicidade, como se o que me havia acontecido nos últimos dias tivesse ficado no chão, como se fosse uma neblina pesada. Eu passava por cima daqueles sentimentos e podia até esquecê-los, pelo menos por alguns instantes. Depois de umas voltas de teste, subitamente e pelas costas, veio o empurrão de um pé e um aviso:

— Agarre essa cauda!

Mas o arranque do meu braço foi muito fraco, não tinha coragem de soltar por completo as correntes.

— Estenda a mão, garota, não vai acontecer nada — ele me encorajou e, em seguida, me empurrou com mais força. Na terceira tentativa, lancei-me no vazio, senti uma coisa peluda tocar minha mão aberta e a agarrei o mais forte que pude*. Havia conquistado a cauda da raposa, fazendo a alegria de Vincenzo.

---

\* Brincadeira em que alguém tem de agarrar uma bandeira ou uma cauda de coelho ou raposa com o impulso dado pelo participante sentado na cadeira de trás do chapéu mexicano. O vencedor ganha uma volta grátis. (N.do T.)

Então, as cadeiras começaram a rodar mais devagar, as estruturas de ferro começaram a fazer barulho e logo o brinquedo parou. Desci e dei dois passos involuntários e sem firmeza, por inércia. Nos braços, sentia calafrios que não eram de frio. Fazia um calor sufocante. Vincenzo se aproximou e me olhou profundamente, com seus olhos brilhantes. Eu tinha sido corajosa. Ajeitei o vestido que o vento tinha desarrumado. Ele acendeu um cigarro e soltou na minha cara a fumaça da primeira tragada.

# 7

**QUANDO ESTÁVAMOS QUASE CHEGANDO EM** casa, Vincenzo nos deu sua chave. Tinha esquecido alguma coisa no parque de diversões, e disse que podíamos deixar-lhe a porta encostada. Entretanto, ele demorava a chegar e eu não conseguia dormir, ainda excitada pelo voo. Do lado de lá da parede, um rangido rítmico no quarto dos pais, depois mais nada. As horas passavam e eu tinha as pernas inquietas. Bati no rosto de Adriana com um pé. Mais tarde, a costumeira umidade me atingiu. Levantei-me e me deitei na cama de Vincenzo, sempre vazia. Mexendo-me, eu encontrava os diferentes odores das zonas de seu corpo, as axilas, a boca, o cheiro dos genitais. Eu o imaginei diante do trailer de seu amigo cigano, conversando sob a fumaça dos cigarros. Assim, quase ao amanhecer, me veio o sono.

Ele voltou na hora do almoço, com as calças de trabalho manchadas de cimento seco. Ninguém parecia ter notado sua ausência noturna. Os pais apenas trocaram olhares enquanto ele se aproximava da mesa.

O golpe desferido pelo pai o atingiu a seco, sem uma palavra. Vincenzo perdeu o equilíbrio. Ao cair, uma mão foi parar dentro do prato de macarrão com molho feito dos tomates que havia ganhado no campo, dias antes. No chão, ele se encolheu como modo de proteção e esperou que acabasse, com os olhos fechados. Quando os pés do outro se afastaram, rolou de lado e ficou ali de costas, refazendo-se no chão frio.

— Comam — disse a mãe, com o menino nos braços. Não chorou com a confusão, como se já estivesse habituado. Os meninos obedeceram no mesmo instante, Adriana, um pouco sem vontade e atrasada, depois de ter arrumado a toalha. Somente eu, que nunca tinha visto a violência de perto, estava assustada.

Eu me aproximei de Vincenzo. Uma respiração rápida e superficial movia-lhe o peito. Dois filetes de sangue desciam das narinas para a boca aberta e uma das bochechas já estava inchando. A mão tinha ficado suja de molho. Eu lhe ofereci um lenço que tinha no bolso, mas ele se virou para o lado sem aceitá-lo. Então, sentei-me no chão, ali ao lado, como um ponto próximo a seu silêncio. Sabia que eu estava lá e não me mandou embora.

— Da próxima vez, acabo com ele — prometeu, murmurando para si mesmo ao reconhecer o barulho do pai, que se levantava da mesa. Todos já tinham acabado, e Adriana começava a tirar a mesa enquanto o pequeno resmungava de sono.

— Problema seu se não comer — disse a mãe passando diante de mim —, mas de qualquer jeito tem de lavar aqueles pratos ali. Hoje é sua vez. — E indicou a pia cheia. Nem se olharam, o filho e ela.

Vincenzo ficou de pé e limpou o rosto no banheiro. Tapou as narinas com pedaços de papel higiênico enrolados e correu para o trabalho. Sua pausa para o almoço já tinha acabado faz tempo.

Adriana me contou das fugas do irmão enquanto enxaguava os pratos ensaboados que eu lhe passava. A primeira vez, aos quatorze anos, tinha seguido os donos do parque de diversões depois de uma festa na cidade vizinha. Tinha-os ajudado a desmontar os brinquedos e, na hora de partir, escondeu-se no baú de um caminhão. Saiu do esconderijo na parada seguinte, com medo de ser mandado de volta para casa. No entanto, os ciganos ficaram com ele por alguns dias. Trabalhava com eles, perambulando pela cidade. Quando o colocaram no ônibus que o traria para casa, deixaram-lhe um objeto precioso como recordação.

— Papai o encheu de pancadas — disse Adriana —, mas ele ficou com o anel de prata com curiosas inscrições. Quem lhe deu o anel foi o amigo que ele viu na noite passada.

— Mas Vincenzo não usa nenhum anel, ao que me parece.

— Fica escondido. Algumas vezes ele usa, depois fica girando o anel entre os dedos e o esconde novamente.

— Onde? Você não sabe?

— Não, ele muda sempre o lugar. Deve ser um anel mágico. Vincenzo sempre fica feliz por um momento depois que o toca.

— Essa noite ele dormiu com os ciganos?

— Acho que sim. Quando volta com aquele ar contente é porque ficou com eles. Mesmo sabendo que irá apanhar depois.

A mãe a chamou para recolher as roupas estendidas na varanda. As tarefas que me pedia para fazer não eram muitas, em comparação com as de Adriana. Talvez estivesse me poupando, ou talvez esquecesse que eu estava lá. Decerto não me considerava capaz, e tinha razão. Às vezes, eu nem ao menos era capaz de entender o que ela pedia.

— Você se lembra da primeira vez que Vincenzo saiu de casa? — perguntei quando Adriana voltou à cozinha para guardar os panos de prato dobrados. — Ela se desesperou? Chamaram a polícia?

Enrugou a testa até que as sobrancelhas quase se juntassem no meio de sua face.

— Não, a polícia não. O papai procurava por ele de carro. Ela não chorava, porém ficava quieta — respondeu apontando com o queixo enquanto a mãe gritava com um dos filhos em outro cômodo.

# 8

**EU ME LEMBRAVA DO MAR PARA TENTAR DORMIR** ao menos um pouco. O mar estava a poucos metros da casa que eu pensava que fosse minha e onde vivi desde pequena, até poucos dias atrás. Apenas uma rua separava o jardim da praia. Minha mãe fechava as janelas nos dias de vento sudoeste e abaixava completamente as persianas para impedir que a areia entrasse na casa, mas era possível ouvir o quebrar das ondas, que ficava mais brando, e à noite embalava o sono. Eu me lembrava dele na cama, com Adriana.

Como se fossem fábulas, eu havia lhe contado sobre os passeios com meus pais à beira-mar, até a sorveteria mais famosa da cidade. Ela, com um vestido de alcinhas e esmalte vermelho nas unhas dos pés, caminhava de braços dados com ele enquanto eu corria na frente para entrar na fila. Para mim, sorvete de *tutti-frutti* com chantilly de cobertura; para eles, de creme. Adriana não sabia da existência de todos esses sabores, e eu precisava listá-los várias vezes para ela.

— Mas onde fica essa cidade? — perguntava ansiosa, como se falássemos de um lugar mágico.

— A cinquenta quilômetros daqui, mais ou menos.

— Você tem que me levar lá uma vez, e assim pode me mostrar o mar também. E a sorveteria.

Falei para ela dos jantares no jardim. Eu que punha a mesa, enquanto os banhistas saíam da areia e passavam na calçada a poucos metros de mim, do lado de lá do portão. Arrastavam os tamancos de madeira, e grãos de areia caíam de seus tornozelos.

— E o que vocês comiam? — indagava Adriana.

— Em geral, peixe.

— Quer dizer atum em lata?

— Não, não, há muitos outros. Nós os comprávamos frescos no mercado de peixes.

Usando os dedos como tentáculos, descrevi as lulas para ela. Falei sobre as contorções dos lagostins agonizando nas barracas e eu encantada a olhá-los. Eles também me olhavam, com as duas manchas escuras da cauda como um olhar de repreensão. A sacola ainda burburinhava com seus espasmos finais no caminho de volta, enquanto eu andava pelo calçamento junto à estrada de ferro com minha mãe.

Ao lhe contar essas histórias, tinha a impressão de sentir na boca o sabor das frituras que ela preparava, das lulas recheadas, do peixe ensopado. Quem sabe como ela estava, minha mãe. Se tinha voltado a comer um pouco, se já se levantava da cama mais vezes ou havia sido internada em algum hospital. Não quis me dizer nada de sua doença. Sei que certamente não queria me assustar, mas eu a tinha visto sofrer nos últimos meses. Não descia mais para a praia, ela que a frequentava desde os primeiros dias quentes de maio. Com sua permissão, eu ia até o guarda-sol sozinha, mesmo porque, como ela dizia, eu já era grande. Fui lá também na véspera de minha partida e até me diverti com minhas amigas. Não pensava que eles teriam, de fato, encontrado coragem para me devolver.

Eu ainda estava bronzeada, com marcas brancas do biquíni. Naquele ano tive de usar a parte de cima, já que eu não era mais uma menina. Meus irmãos também tinham a pele escura, mas só nas áreas que ficavam expostas ao sol durante o trabalho ou o jogo ao ar livre. Devem ter descascado no início do verão e depois se bronzeado de novo.

— Você tinha amigas na cidade? — perguntou-me Adriana. Tinha acabado de cumprimentar da janela uma amiga que a havia chamado da praça.

— Sim, tinha. Principalmente Patrizia.

Foi justamente com ela que eu havia escolhido, na primavera, o biquíni. Fomos comprá-lo em uma loja perto da piscina, que nós também frequentávamos juntas. Ela era quase uma campeã; eu ia lá um pouco à força. Sempre sentia frio, tanto antes de entrar na água quanto na hora de sair. Não gostava do cinza lá dentro, nem do cheiro de cloro. Mas, depois que tudo mudou, fiquei com saudade da piscina também.

Queríamos comprar biquínis iguais, eu e Pat, para irmos à praia com nossas novas formas. Tivemos nossa primeira menstruação com uma semana de diferença uma da outra e a erupção das espinhas também parecia sincronizada. Nossos corpos cresciam por sugestões recíprocas.

— Este aqui fica melhor para você — dissera minha mãe diante das prateleiras da loja, pescando em meio aos outros um biquíni que cobria mais. — Mesmo porque a pele do seio é mais delicada e você pode se queimar com aquele.

Recordo cada detalhe daquela tarde. No dia seguinte, ela adoeceu.

Assim, eu recusei o biquíni menor, com laços frontais e dos lados. Não Patrizia. Ela o quis mesmo assim. Ela vinha com frequência em casa, mas eu ia menos à dela, porque meus pais tinham medo que os vícios de sua família me contagiassem. Eram alegres, um pouco distraídos, desligados. Nós nunca os víamos na missa aos domingos, nem na Páscoa e nem no Natal. Pode ser que não acordassem a tempo. Comiam o que queriam quando tinham fome, mimavam dois cães e um gato mal-educado que subia à mesa para roubar as sobras. Lembro-me dos lanches que preparávamos sozinhas em sua cozinha, as ondas de creme de chocolate espalhadas no pão, mesmo se fazia mal para os dentes.

— É isso que me dá energia para nadar — dizia Pat. — Pegue outra fatia, mesmo porque sua mãe não vai saber.

Somente uma vez eu tive permissão para dormir em sua casa. Seus pais tinham ido ao cinema e nós assistimos à televisão até tarde, comendo batatinhas; depois ficamos acordadas quase a noite toda conversando, cada uma em sua cama, com o gato estendido ronronando sobre a coberta. Eu não estava habituada a certas liberdades. No dia seguinte, em casa, eu quase adormeci sobre um peito de frango.

Quando lhe disse que seria obrigada a ir embora, Patrizia pensou que eu estava brincando. No início, não compreendia a história de uma família verdadeira que me reivindicava. Ouvindo-me dizer agora, eu compreendia ainda menos que ela. Tive de lhe explicar do começo, e de repente vieram-lhe soluços que a fizeram tremer toda. Então me assustei de verdade, entendendo, pela sua reação, que algo grave estava para me acontecer, pois ela nunca chorava.

— Não tenha medo, os seus, quero dizer, os seus pais daqui não permitirão. Seu pai é policial, encontrará um modo — procurou consolar-me depois que se recompôs.

— Ele repete que não pode impedir.

— Sua mãe vai ficar destruída.

— Não está bem faz tempo, talvez desde quando soube que não pode mais ficar comigo. Ou talvez ela mesma tenha decidido me mandar embora porque está doente e não quer que eu saiba. Não consigo acreditar em uma família que nunca vi e que agora, de repente, me quer de volta.

— Mas só de olhar para você é possível ver que não se parece com nenhum de seus pais. Não com aqueles que conhecemos.

A ideia veio-me à noite, e eu a contei para Patrizia no dia seguinte, sob o guarda-sol. Nós a melhoramos nos mínimos detalhes, e estávamos entusiasmadas com nosso plano. Depois do almoço, fui correndo à sua casa, sem pedir permissão para minha mãe, que repousava no quarto. Naquele período, ela teria deixado de qualquer maneira, com um sim cansado ou preocupada com outra coisa.

Pat me recebeu com a cabeça baixa, apoiando-se na porta. Com um gesto rude do pé, afastou o gato que enrolava a cauda em suas pernas. Eu quase não quis mais entrar. Pegou-me pela mão e me levou até o não que sua mãe devia me dizer. Nós duas, menininhas, tínhamos pensado que, no dia seguinte, depois da praia, voltaríamos para lá e eu ficaria escondida o tempo necessário, até um ou dois meses. Pode ser que todos os pais se empenhassem em encontrar uma solução para mim caso eu desaparecesse. Eu telefonaria para minha casa, uma única vez e por poucos segundos, como nos filmes, para tranquilizá-los e ditar as minhas condições.

"Pra casa deles não vou. Volto com vocês ou me solto no mundo."

A mãe de Pat me abraçou forte, com o afeto habitual, embora um pouco constrangida. Abriu espaço no sofá e me convidou para sentar ao lado dela. Ela também afastou o gato; não era o seu momento.

— Eu sinto muito, de verdade — disse. — Você sabe o quanto eu gosto de você. Mas não é possível.

# 9

— VOCÊ NÃO ESTAVA CONTENTE NA CIDADE? — Vincenzo perguntou-me à queima-roupa.

Estávamos na garagem, localizada no subsolo do prédio. Contra as paredes, montes eram formados por cestas sem fundo, papelões ondulados pela umidade, um colchão esburacado de onde saíam flocos de lã. Em um canto, via-se uma boneca sem cabeça. No pouco espaço central, nós jovens descascávamos e cortávamos em pedaços os tomates para a conserva; eu era a mais lenta.

— A senhorita nunca fez isso antes — um de meus irmãos tinha rido de mim em um falsete.

O pequeno enfiou o braço no cesto de lixo e levou alguma coisa à boca. A mãe não estava naquele momento, tinha ido pegar sabe-se lá o quê.

— Então? Por que você voltou para cá? — insistiu Vincenzo, indicando tudo à sua volta com um gesto.

— Não fui eu quem decidiu. Minha mãe disse que eu tinha crescido e que meus pais me queriam de volta.

Adriana escutava atenta, com os olhos sobre mim. Não precisava prestar atenção nas mãos e na faca que estava usando.

— Tá! Tira isso da cabeça, aqui ninguém quer você, não — disse Sergio, o mais cruel. — A madame. — E gritou para fora da garagem: — Ô mãe! É verdade que você queria pegar essa banana de volta?

Vincenzo o empurrou com um braço e o outro, rindo zombeteiramente, caiu da caixa de madeira virada onde estava sentado. Seu pé chutou sem querer um pote cheio até a metade e alguns tomates já sem pele foram parar na laje de concreto, no pó. Distraída, eu jogava os tomates no cesto de lixo quando Adriana os pegou de minhas mãos com o movimento rápido de uma adulta. Ela os enxaguou e os apertou antes de colocá-los no panelão. Voltou a fixar o olhar em mim. Eu tinha entendido? Não se devia desperdiçar nada. Acenei com a cabeça.

A mãe voltou com potes limpos para serem enchidos. Em cada um deles havia colocado uma folha de manjericão.

— Meu Deus! Você está nos seus dias? — perguntou-me bruscamente.

Respondi bem devagar, envergonhada.

— Ei! Está ou não está?

Fiz que não com o dedo.

— Menos mal, porque se não estragava tudo. Quando estiver naqueles dias, há certas coisas que você não pode fazer.


Sobre um fogo aceso em um canto da garagem, os potes de molho foram fervidos em banho-maria em um grande caldeirão. Vincenzo apareceu com meio saco de espigas de milho, olhando para trás. Fingiu não escutar quem lhe perguntava de onde as tinha pego. Tiramos os cabelos e a casca. Os grãos de dentro eram macios e jorravam leite quando espremidos com as unhas. Olhava os outros e fazia como eles. Uma folha me cortou a pele, ainda muito fina.

Vincenzo as assou na brasa restante, girando-as de vez em quando com as mãos nuas, com um rápido toque das pontas dos dedos calejados.

— Ficam mais gostosas quando se queimam um pouco — explicou-me, sorrindo de viés.

Passou a primeira na cara de Sergio, que pensava que fosse para ele, mas era para mim. Eu me queimei.

— Me dá logo — murmurou Sergio, esperando sua vez.

— Comi milho poucas vezes, só que cozido. Assim é muito mais gostoso — eu disse.

Ninguém me escutou. Em silêncio, ajudei Adriana a lavar e a recolocar na garagem os potes usados para o molho.

— Deixe o Sergio para lá, ele é desagradável com todo mundo.

— Talvez ele tenha razão. Pode ser que não tenham sido seus pais que me queriam de volta. Agora tenho certeza: estou aqui porque minha mãe está doente. Mas aposto que ela vem me buscar quando melhorar.

# 10

*Querida mamãe, ou cara tia,*

Não sei mais como devo chamá-la, mas quero voltar para sua casa. Não estou bem aqui nesta cidadezinha e não é verdade que seus primos estavam me esperando; ao contrário, eles me receberam como uma desgraça e sou um empecilho para todos, além de ser mais uma boca para comer.

Você sempre repetia que a coisa mais importante para uma menina era a higiene pessoal, e lhe digo que, nesta casa, é difícil até se lavar. Dividimos em duas uma caminha que tem um colchão que cheira a xixi. No mesmo quarto dormem meninos de quinze anos para cima e você não gostaria disso. Não sei o que poderá acontecer aqui. Você vai todos os domingos à missa e é catequista na igreja. Não pode me deixar nessas condições.

Você está doente e não quis me dizer o que tem, mas eu já sou grande o bastante para ficar com você e lhe ajudar.

Entendi que você me pegou ainda pequena, para ajudar, porque nasci em uma família pobre e numerosa. Nada mudou por aqui. Se sou importante para você, mande por favor o tio vir me buscar, do contrário um dia desses eu me jogo pela janela.

P.S.

Desculpe se não quis falar com você na manhã em que me obrigou a vir para cá e obrigada pelas cinquenta mil liras que você colocou entre os lenços. As moedas restantes serão suficientes para o envelope e para o selo.

**ESQUECI DE ASSINAR A CARTA, ESCRITA EM UMA** folha que arranquei de um caderno pautado. Eu a enfiei na caixa vermelha ao lado da porta da tabacaria e contei o troco, suficiente para dois picolés, um de menta para mim e outro de limão para Adriana.

— Para quem você a mandou? — perguntou, lambendo com cuidado o papel que tinha acabado de tirar da superfície gelada.

— Para a mamãe que está na cidade.

— Ela não é sua mãe.

— Para minha tia, então — especifiquei, nervosa.

— Sim, ela é uma prima distante do nosso pai. Na verdade, quem é o parente distante é o marido, o policial que trouxe você. Só que o dinheiro quem tem é ela, é ela quem decide as coisas sobre você.

— O que você sabe? — perguntei enquanto o líquido verde escorria pelo palito até os dedos.

— Ontem à noite escutei uma conversa no quarto dos nossos pais. Eu estava escondida no armário porque o Sergio queria me dar uma surra. Parece que essa Adalgisa vai mandar você para fazer o ensino médio. Coitada de você.

— O que mais eles disseram? — perguntei, virando o picolé de cabeça para baixo para que pingasse pela ponta.

Adriana acenou com a cabeça e o pegou, lambendo-o todo para depois devolvê-lo para mim, insistindo com um gesto impaciente para que eu o tomasse.

— Ela entrou numa fria, eles repetiam.

Chupei sem vontade o que havia sobrado e coloquei na boca até reduzi-lo a um fantasma de gelo descolorido.

— Dá isso aqui — disse Adriana, exasperada, e terminou com o picolé dando pequenas mordidas em torno do palito.

Perguntei ao carteiro quanto tempo levaria para uma carta chegar à cidade, multipliquei o número de dias por dois e acrescentei mais um para escrever a resposta. Depois, comecei a esperá-la, sentando-me todo dia de manhã no muro, das onze em diante, enquanto as crianças corriam na praça ou brincavam de amarelinha. Balançava as pernas sob o sol generoso de setembro e às vezes imaginava que, em vez da carta, a qualquer momento chegaria o tio policial que eu acreditava ser meu pai. Ele me levaria de volta no seu comprido carro cinza e então eu o perdoaria por não ter se oposto à minha vinda, por ter me deixado no asfalto.

Ou então viriam os dois, ela recuperada, os cabelos desfiados pelo mesmo cabeleireiro que também cortava meu cabelo — minha franja já me caía nos olhos —, com um lenço macio que usava em volta do pescoço na meia estação.

— O que você está esperando, uma carta de amor? — brincava o carteiro depois de ter me desiludido, procurando em vão na bolsa de couro.

O furgão parou sob o azul do céu, no meio da tarde. O homem que o guiava desceu para perguntar em que andar morava a destinatária das mercadorias. O nome era o da mãe. Começou a descarregar algumas peças embaladas, e os meninos logo pararam com as brincadeiras para ajudá-lo a levá-las pela escada. Estavam todos curiosos e ele se divertia nos deixando ansiosos.

— Cuidado, cuidado com os cantos. Quando eu montar vocês verão o que é — repetia aos mais impacientes.

— Onde dormem as meninas? — perguntou, como se seguisse instruções que sabia de cor.

Eu e Adriana abrimos o quarto para ele e nos olhamos, incrédulas. Em poucos minutos, um beliche tomou forma sob nossos olhos, dotado de escadinha e de colchões novos. O homem o encostou à parede e, para isolá-lo, colocou ao redor dos lados livres um biombo com três tábuas articuláveis. Tornou a descer para pegar mais alguma coisa. A resposta da carta ainda não estava completa.

— Mas quem pediu todas essas coisas? E agora quem paga? — preocupou-se Adriana, como que acordando de um sonho. — O papai já tem dívidas. E a mamãe, onde ela foi?

Sem nos dizer nada, tinha desaparecido depois do almoço com o pequeno. Talvez estivesse perdida na conversa com alguma vizinha.

— Nossos pais não nos deixaram dinheiro — minha irmã começou a se justificar para o homem que levara para baixo algumas caixas grandes, com a ajuda do mesmo séquito de meninos. Continham dois pares de lençóis coloridos, um edredom com recheio de lã e um cobertor mais leve... Tudo parecia destinado a somente uma das camas. Havia também sabonetes, frascos do meu xampu preferido e outro para piolhos, o que poderia ser útil ali. Além disso, havia uma amostra do perfume de minha mãe; ela sabia que de manhã eu lhe roubava umas gotas antes de ir para a escola.

— As mercadorias já estão pagas. Preciso só da assinatura de um adulto para o recibo.

Quem assinou foi Adriana, imitando a caligrafia grosseira do pai. Quando ficamos sozinhas no quarto, ela me pediu para dormir na cama de cima, depois em baixo, depois em cima de novo. Tirara os sapatos e experimentava as posições, subindo e descendo a escada. Levamos para o hall do andar a velha rede deformada e o colchão malcheiroso.

— Tenho medo de molhar o novo.

— Comprou também um protetor impermeável, use-o você.

— Quem comprou?

A mãe voltou naquele momento, a cabeça do menino que dormia balançava em seus ombros. Não se surpreendeu com as novidades que Adriana queria logo lhe mostrar, puxando-a pela blusa. Irritada com o entusiasmo da filha, olhou com um ar de presunção obtusa para o beliche e para o resto, depois para mim.

— Quem deu tudo isso foi a esperta da sua tia. Sabe lá o que você contou de nós. Falei com ela ontem do telefone público. A senhora Adalgisa fez o Ernesto da adega me chamar.

O privilégio de dormir em um colchão novinho em folha, separadas pelo biombo, voltou-se contra mim e Adriana já na primeira noite. Os meninos escondiam-se atrás daquele negócio, assim o chamavam, e nos assustavam, aparecendo de repente e gritando. Eles o invertiam várias vezes e, em uma semana, o tecido esticado nas tábuas já estava rasgado em vários pontos. Colocavam as cabeças nos buracos e disparavam gritos. Eu e minha irmã assistimos à ruína de nosso pequeno mundo separado, e protestos não foram o suficiente para salvá-lo. Os pais não intervieram. Os anos de filha única não me ensinaram a me defender, e era com sensação de impotência e raiva que sofria os ataques. Quando Sergio passava diante de mim, era estranho que não caísse fulminado pelas minhas maldições silenciosas.

Só Vincenzo não participava das provocações. Às vezes, cansado da algazarra, gritava com os irmãos para pararem. Depois que levamos para a garagem o biombo, que já não servia mais para nada, ele me olhava por muito tempo, de noite e de manhã, como se lhe tivesse faltado a visão de meu corpo. Continuávamos a nos vestir com pouca roupa, por causa do calor persistente daquele verão infindável.

No beliche que a havia entusiasmado tanto, Adriana não conseguia dormir nem em cima, nem em baixo, e mudávamos de lugar continuamente. Em horas variáveis, vinha se aninhar perto de mim, onde quer que fosse. Mas o protetor impermeável era um só; desse modo, em pouco tempo a urina involuntária de Adriana ensopou os dois colchões novos.

# 11

**MINHA MÃE DO MAR MORREU NO ANDAR DE CIMA** do beliche, em uma daquelas noites. Não parecia doente quando a vi, talvez mais cinza que de costume. A pinta peluda encravada em seu queixo, que se estendia como uma lagarta sem início e fim, começou a desbotar, bem devagar. Empalideceu em poucos minutos, até se confundir com o branco a seu redor. O ar parou de encher-lhe o peito e os olhos ficaram fixados.

No funeral, acompanhava-me a outra mãe. *Pobreadalgisa, pobreadalgisa*, repetia esfregando as mãos. Mas, depois, mandaram-na embora. Tinha as meias de helanca desfiadas e não podia assistir à celebração naquele estado. Fiquei sozinha diante dela, única filha da defunta, com um grupo indistinguível de figuras negras às minhas costas, participando da cerimônia. Os coveiros desciam o caixão na cova feita há pouco, as cordas rangendo, sob o peso, no atrito com o caixão. Devo ter me aproximado muito da sepultura, pois a grama desmoronou sob meus pés e caiu sobre ela, fechada na madeira. Eu estava ali, atordoada e talvez invisível. O padre dava uma benção monocórdica, borrifando água benta também sobre meu corpo. Depois, o barulho das pás que começavam a devolver a terra que fora retirada, surdas aos meus gritos. Enfim, alguém me agarrou forte por um braço.

— Se você não parar de gritar fcito uma louca, eu te jogo pela janela — ameaçou Sergio sacudindo-me no escuro.

Não voltei a dormir novamente. Segui observando a viagem fria que a lua fez até se esconder atrás da parede.

O pesadelo foi o cume de minhas angústias noturnas. Depois de cair brevemente no sono algumas vezes, todo despertar era um sobressalto repentino e a certeza de uma desgraça iminente, mas qual? Eu examinava aquelas ausências da memória até que a doença de minha mãe viesse à tona subitamente, agigantando-se e aumentando no escuro. De dia, eu podia governá-la, acreditar numa recuperação, e, depois, na minha volta para casa. À noite, ela piorava até morrer no sonho.

Mais tarde, desci para o colchão de Adriana, por uma única vez. Sem acordar, ela mexeu os pés para me acolher na posição recíproca de costume, mas eu quis apoiar a cabeça ao lado da sua, no travesseiro. Eu a abracei, para me consolar. Era tão pequena e ossuda, e seus cabelos exalavam um cheiro forte.

Como em contraste, emergiram das recordações os cachos de Lídia, como flores vermelhas entre os lençóis. Muito jovem para chamá-la de tia, era a irmã caçula do meu pai policial. Por alguns anos, ficamos juntas na casa dos meus pais, e ela aparecia nas primeiras recordações daqueles quartos. Ocupava um quarto no fundo do corredor, comprido e estreito, mas com vista para as ondas. À tarde, eu me apressava com as tarefas de casa e depois escutávamos rádio. Ela se atormentava pensando em alguém perdido, repetia amargurada as estrofes de amor com a mão fechada sobre o peito asmático. A haviam enviado para respirar o ar salobro, ali na casa do irmão.

Quando ficávamos sozinhas, Lídia se vestia com minissaia e sandálias de plataforma que mantinha escondidas no armário, e ligava a vitrola no volume máximo. Dançava rock na sala de jantar, agitando-se toda com os olhos fechados. Sabe-se lá onde tinha aprendido, já que não lhe era permitido sair depois do pôr do sol; às vezes, no entanto, ela desobedecia, pulando de uma janela no térreo. Eu a queria perto de mim toda noite, bem na hora em que, ao cair no sono, minhas costas começavam a coçar em pontos inacessíveis. Lídia vinha me esfregar e depois ficava sentada na cama. Contava minhas vértebras, magra como eu era, e para cada uma criava uma história. Chamava pelo nome as mais proeminentes e as fazia conversar como velhas amigas, tocando ora uma, ora outra.

— Me contrataram — disse um dia, ao voltar para casa.

E foi assim que a perdi, no centro comercial, alguns anos antes de ser devolvida. Nós tínhamos ido um dia cedo de manhã para fazer compras e, enquanto eu provava uma camiseta com peixes e estrelas-do-mar, perguntou a uma vendedora se podia falar com a gerente. Chegaria mais tarde, e ficamos ali para esperar. Assim que nos recebeu em seu escritório despojado, Lídia tirou da bolsa um diplominha de secretária e pediu para trabalhar lá, qualquer que fosse a função. Sentava-se diante da mesa de trabalho da gerente e eu em pé a seu lado, às vezes me acariciava o braço.

Chamaram-na quase imediatamente para um período de experiência. Certa noite, voltou para casa com o uniforme nas mãos, tremendo. Deveria usá-lo no dia seguinte. Ela o provou andando de um lado para o outro na sala. Era branco e azul-marinho, com o colarinho e os punhos engomados. Agora ela também tinha um uniforme, como o irmão. Exibia-se numa série de piruetas para nos mostrar como a saia rodava. Quando parou e o mundo deixou de girar a seu redor, eu não estava mais ali para olhá-la.

De vendedora passou logo para caixa e, depois de um ano, para chefe de departamento. Chegava sempre mais tarde. Depois, foi transferida para a sede central, a muitas centenas de quilômetros. Às vezes, ela me escrevia, e eu não sabia o que lhe responder. Na escola tudo bem, sim. Patrizia sempre amiga, claro. Na piscina, eu tinha aprendido a dar cambalhota na água, mas continuava a sentir frio. No começo, mandava cartões postais com os monumentos da cidade, mas acredito que eles devem ter acabado depois de certo tempo. Nos cadernos, eu pintava o sol de preto de acordo com meu humor e a professora telefonou para casa para saber se alguém tinha morrido. A média do meu boletim era dez, e eu ocupava o tempo antes preenchido por Lídia no cuidado minucioso com as tarefas de casa.

Voltou em agosto para as férias, mas eu tinha medo de me apegar de novo a ela. Fomos à praia de sempre e, apesar do protetor solar que tinha comprado com o desconto para funcionários, ela se queimou. Aos banhistas habituais que a cumprimentavam, falava já com um falso sotaque. Senti vergonha alheia, mas comecei a matar a saudade.

Só a vi mais uma vez depois que decidiram me devolver. Apertou a campainha e eu abri para uma desconhecida de cabelos tingidos e alisados. Trazia grudada nas pernas uma menina que não era eu.

No escuro com Adriana, imaginei que Lídia poderia me salvar, talvez me levar por um tempo. Mas tinha mudado de cidade e eu não sabia mais como encontrá-la. Era ainda muito nova para imaginar uma salvação diferente.

# 12

**APAGARAM A LUZ E PULARAM NA CAMA. SERGIO** fez o irmão ficar quieto enquanto eu entrava no quarto, mas ainda davam risadinhas sufocadas nos travesseiros. Vincenzo estava fora desde a tarde e Adriana ainda estava na sala, com o pequeno nos braços. Tirei a roupa no escuro e, naquele silêncio carregado, me enfiei entre os lençóis. Com o pé, senti alguma coisa viva que se mexia e esvoaçava, quente e peluda. Senti, junto ao meu grito, várias picadas no tornozelo. Os dois gargalhavam. Não sei como alcancei o interruptor; virei para olhar para a cama. Um pombo girava sobre si mesmo se debatendo, rodava em torno da asa inteira, estendida como se uma bastasse para voar. A outra estava quebrada perto do corpo. Seus excrementos sujavam o lençol novo. Chegou à beira do colchão e caiu, batendo com o peito.

Os irmãos se sentaram e riam com estardalhaço, batiam as mãos nas coxas com força e choravam de rir. O animal continuou a tentar, no chão, se levantar. Cansado do espetáculo, Sergio o pegou pela asa sã e o arremessou pela janela. Naquele momento, tive a certeza de que a outra havia sido quebrada por ele.

Gritei "monstro" bem na cara dele e arranhei fundo seu rosto com todas as unhas, deixando na pele sulcos de onde o sangue logo aflorou. Não se defendeu, não me bateu, riu ainda forçando um pouco o tom para demonstrar que eu não podia machucá-lo. O outro pulava na cama como um macaco, imitando a voz dos pombos.

O pai veio ver. Antes de saber o que havia acontecido distribuiu uns tapas nos dois, até para acalmá-los. Por um acordo tácito, era ele quem batia nos rapazes depois que cresceram, pois a esposa não tinha mais força. Ela cuidava de Adriana, com uma dose mais ou menos diária.

— Era uma brincadeira — justificou-se Sergio —, essa grita à noite por qualquer coisa e nos acorda. Agora eu a fiz gritar de medo.

No dia seguinte, ajudei a dobrar os lençóis já enxutos.

— Cuidado com os percevejos — disse a mãe, afastando um grande e verde. — Não sei por que eles gostam de se meter no meio da roupa estendida. — Depois, com naturalidade, passou dos percevejos para falar dos filhos: — O segundo me saiu mesmo torto. O outro nem tanto, mas não é esperto.

— Eles não me querem nessa casa, por isso me atormentam. Por que vocês não me mandam para onde eu estava?

— Logo você se habitua ao Sergio também. Mas procure não gritar enquanto dorme, porque ele fica nervoso.

Parou por um segundo, com a pilha de roupas nas mãos. Olhou-me nos olhos, uma das raras vezes, como seguindo um pensamento.

— Lembra que nos encontramos no casamento? Você deveria ter seis, sete anos.

Ela me refrescou a memória com uma chicotada.

— Lembro de alguma coisa, só que aqui você está diferente, com as roupas de todo dia. Você estava elegante daquela vez — admiti.

— Você nem sabe quantas vezes eu usei aquele conjunto. Chegou uma hora em que engordei e fiquei com medo que ele descosturasse — sorriu. — Era um domingo de junho, os noivos tinham perdido tempo com todas aquelas fotografias — começou a contar. — Veio uma fome. Estávamos ainda procurando lugar em um restaurante, às três, quando me viro e, de repente, vejo você. Não podia reconhecer de tão grande e bonita que estava.

— Quem disse que era eu?

— Primeiro eu tinha escutado, depois a Adalgisa estava lá, não é? Conversava com uma parente e não se deu conta de mim. Eu chamei você, que logo levantou a cabeça. Ficou de boca aberta, talvez porque eu estava me desfazendo em lágrimas.

Hoje eu pediria todos os mínimos detalhes daquele encontro, mas naquela ocasião eu estava muito confusa. Continuou falando sozinha, colocou a roupa em uma cadeira.

— Assim que me viu, Adalgisa colocou-se no meio, entre você e eu. Mas você saía de trás dela com aquela cabecinha curiosa e me olhava.

Eu a olhava de esguelha, em sua cabeça um tufo de cabelos brancos surgidos antes do tempo, como se fosse um sinal de reconhecimento só seu. Quando fui devolvida, ela disfarçava os brancos precoces, mas depois deixou a cabeça toda branca.

Naquele dia do casamento, eu ainda não sabia de nada. Meus pais eram primos distantes, eu tinha o sobrenome deles. No mês do desmame, as duas famílias dividiram a minha vida apenas com a palavra, sem acordos formais, sem se perguntarem quanto eu pagaria por essa indefinição.

— Não podia falar muito porque você era pequena, mas falei bem claro com sua tia.

— Por quê?

— Tinha jurado que viriam sempre aqui, que iríamos criar você juntas. Mas só voltamos a ver você de novo na sua festa de um ano, quando fomos até a cidade. — Perdeu a voz, por alguns instantes. — Mas depois vocês mudaram de casa e ninguém nos avisou.

Eu estava atenta, tensa diante do que contava, mas não queria acreditar nela. Adriana também tinha dito, no dia em que cheguei, que não devíamos acreditar nela.

— Ela deu a desculpa que tinha a cunhada doente e não podia deixá-la, mas na hora em que falava isso Lídia veio me cumprimentar toda bonita e saudável.

— Lídia tinha asma, às vezes tinham de levá-la para o pronto-socorro — repliquei rispidamente.

Olhou para mim e não disse mais nada. Entendeu de qual lado eu estava. Pegou as roupas da cadeira e as levou para o seu quarto.

# 13

**DEPOIS DE MINHA CARTA SEM RESPOSTA, DEVE** ter havido outros acordos que eu desconhecia. Aos sábados, a mãe da cidadezinha tinha de me dar uma pequena soma, proveniente, quem sabe como, da mãe que morava perto do mar. Quando eu a colocava nas mãos, às vezes com um pouco menos de dinheiro, retirado por quem me entregava, eu me sentia segura sobre a saúde de minha mãe distante. Talvez estivesse melhorando. Eu estava sempre em seus pensamentos. Junto com as moedas, eu acreditava receber o calor da palma de sua mão, conservado no metal das cem liras, como se ela as tivesse tocado de verdade.

Fazia um sinal para Adriana e íamos para a venda do Ernesto. Abria a geladeira dos sorvetes e procurava no vapor frio e branco. Dois picolés, para mim de chocolate e para ela de cereja, com cobertura de chocolate e avelãs, que comíamos ali fora, sentadas numa mesinha como dois velhos jogando cartas. O resto do dinheiro eu deixava de lado. Às vezes, comprava uma chupeta para Giuseppe, que perdia sempre a sua.

Em poucas semanas, juntei dinheiro suficiente para a passagem do ônibus e para alguns sanduíches. Adriana se assustou quando eu contei o plano a ela, então propusemos a Vincenzo que nos acompanhasse. Ele terminava de fumar o cigarro na praça, antes de subir para o jantar. Soprava a fumaça com os olhos fechados, como quando refletia.

— Está bem, mas em casa ninguém deve saber aonde vamos — consentiu surpreendentemente. — Diremos que vocês irão trabalhar no campo comigo, mesmo porque eles estão se lixando — acrescentou, lançando um olhar terrível para o segundo andar.

De madrugada, subimos no ônibus para a cidade. Adriana não a conhecia, Vincenzo apenas alguns bairros periféricos onde seus amigos ciganos acampavam com o parque de diversões. O ponto ficava a um passo do balneário onde passei todos os verões. De nossa sombra perfumada de creme, eu e minha mãe olhávamos o bando de turistas em marcha na direção do trecho livre da praia para além do limite da corda. Naqueles dias de fim da estação, teríamos comido uvas, tirando uma por vez dos cachos que ela levava para o lanche.

Não tinha ninguém na praia assim tão cedo. Uma menina nova limpava a passarela de cimento entre a calçada e a entrada do bar. O salva-vidas abria os guarda-sóis com gomos amarelos e verdes, um clique metálico atrás do outro. O meu não, na primeira fila, como se soubesse que não seria usado.

— Ei, como está? Por onde andava? — quando passei perto dele. — Vocês desapareceram. Sua mãe também não veio mais, foram de férias para algum lugar? Pode deixar que vou abrir o seu agora, o número sete.

A espreguiçadeira rangeu por causa da falta de uso. Imediatamente, o homem de camiseta regata desbotada voltou-se para os dois que me seguiam a poucos metros de distância. Eram diferentes dos clientes habituais.

— São meus primos, moram na montanha — eu lhe disse devagar.

Eles não teriam escutado, de qualquer modo, tomados pelas novidades. Sentaram-se à beira do mar, e até mesmo Vincenzo estava um pouco constrangido. Ondas pequenas e fracas lambiam a areia, sem espuma e sem voz. O sol ainda estava baixo sobre a linha do horizonte e as gaivotas pousadas sobre os rochedos do quebra-mar.

— Mas, e se transborda, morremos? — perguntou Adriana assustada. Deixou escorrer a areia fina entre os dedos, incrédula. Tiramos a roupa, ela usava um maiô que não me servia mais e Vincenzo ficou de cuecas. Penduramos nossas roupas nas varetas do guarda-sol. Em uma delas estava amarrada uma faixa para os cabelos que eu achava que tinha perdido. Era lá que tinha ficado. Eu a desamarrei com dificuldade, usando minhas unhas roídas, e a coloquei na bolsa. Eu a tinha há anos. Quando era pequena, minha mãe me penteava e depois me colocava essa faixa, tocando de leve meu rosto com as mãos, sentada na beira de minha cama todas as manhãs, e eu ficava em pé, diante dela. Era agradável o barulho da escova nos cabelos, a vibração lenta dos dentes de ferro.

Minha irmã não queria molhar nem os pés, de medo que o mar a levasse para dentro. Agachou-se na areia, com o queixo entre os joelhos e o olhar diluído em todo aquele azul. Eu afundei em silêncio, deslizando em baixo d'água sem voltar à superfície até ficar sem fôlego. Depois, com a cabeça para fora, vi que a praia começava a lotar de madrugadores. Adriana estava recolhida em si mesma, aguardando meu retorno. Vincenzo deu uma arrancada impetuosa e mergulhou, levantando água no ar. Tinha aprendido a nadar no rio, com amigos. Veio em minha direção dando braçadas potentes e descoordenadas, traçando uma marca no mar. Desapareceu por um momento quando já estava quase perto e me levantou de modo repentino, colocando o pescoço entre minhas pernas. Eu me vi sobre seu ombro, ele se mantinha na superfície e cuspia ao redor. Não sentíamos frio.

— Você foi genial de nos trazer aqui, estou me divertindo pra caramba — disse.

Escapuliu e se exibiu com pulos e cambalhotas, pegou-me mais de uma vez pela cintura e me lançou como um brinquedo. Ria e o sal esbranquiçava suas gengivas. Por acidente, meu pé roçou seu membro, que estava rijo e ereto. Pôs as mãos nas minhas orelhas e me beijou nos lábios. Depois, sua língua penetrou em minha boca e a explorou, rodeando desejosa em torno da minha. Tinha se esquecido de quem éramos.

Eu me afastei dele nadando, sem pressa ou repugnância. Só na praia percebi que meu coração tinha ficado acelerado. Adriana sentada lá, como eu a havia deixado. Talvez não tenha se passado muito tempo, mesmo se o mundo parecesse diferente. Deitei-me na areia perto dela, esperando uma nova calma dentro do peito em desordem.

— Estou com fome — disse ela lamurienta.

Eu tinha os sanduíches na bolsa, mas, para fazê-la um pouco mais feliz, usei as últimas moedas para levá-la ao bar para comer uma *pizzetta* e tomar uma Coca-Cola. Quando voltamos para o guarda-sol, Vincenzo saía cansado da água, como um deus rústico e selvagem que desceu ao mar por um único dia. Se me lembro de seus passos cansados, a imensidão azul havia sido fecundada. As pessoas olhavam para ele, as cuecas aderiam-lhe demasiado às formas do corpo e haviam se abaixado, deixando à mostra uma faixa de pelos. Mas não havia mais a multidão suada de agosto naquele fim de verão. Agora, clandestina na praia em que cresci, podia evitar ser reconhecida pelos banhistas habituais. Até eu e Vincenzo nos evitamos pelo resto das horas. Coloquei à vista os sanduíches sem dizer nada. Acompanhei Adriana à gangorra e me afastei com um pretexto.

Bastou atravessar e entrar na rua quase de frente. Costeei o cercamento do jardim, vendo os sinais de abandono. Uma cadeira virada de cabeça para baixo pelo vento, as primeiras folhas que já haviam começado a cair sobre a mesa onde fazíamos os jantares ao ar livre. Um trapo agarrado nos espinhos da roseira, a planta preferida de minha mãe; durante o mês de maio, pregava sempre um botão no peito antes de sair. A grama alta e as flores mortas de sede. Cheguei ao portão com chumbo nos pés. A caixa do correio não estava muito cheia. Talvez alguém viesse pegar a correspondência de vez em quando, até a minha tinha sido recebida. A cerca-viva invadida pela areia das tempestades de vento, as persianas todas abaixadas, como quando partíamos para as férias. Protegida sob o telheiro, minha bicicleta tinha um pneu furado. Toquei a campainha da casa vazia e, depois de uma espera inútil, repeti mais vezes e por mais tempo. Apoiei minha testa no botão e fiquei assim até que o calor se tornou insuportável. Voltei para trás correndo, sob o risco de ser atropelada. Sentei-me na sombra das cabines.

Deveria ter morrido de verdade, como no meu sonho, como suas tulipas. Do contrário, não teria abandonado a casa. Mas tinha sido ela quem me mandou o beliche com todo o resto para a cidadezinha, e a outra mãe contou que tinham se falado por telefone. Então, por que não falava comigo também? Onde ela estava? Talvez não quisesse me impressionar com a voz de doente, de um hospital distante. E se, ao contrário, meu pai tivesse sido transferido para outra cidade? Sempre dizia que era possível. Não, teriam me levado com eles onde quer que fossem.

Lídia sabia? Se sabia, por que não me procurava? Também não se falavam com muita frequência. Antes de se mudar, tinha feito uma das suas e minha mãe talvez nunca a tenha perdoado completamente.

Lídia tinha conhecido a bailarina que morava no sótão do prédio em frente, às vezes conversavam escondido pelo portão do nosso jardim. Lili Rose trabalhava numa casa noturna à beira-mar e dormia até tarde. De vez em quando, alguns homens tocavam discretamente sua campainha. Lídia não podia nem sequer cumprimentá-la, por medo de contágio.

Mas, em um domingo de calor sufocante, meus pais tinham ido a um funeral e nos tinham deixado em casa. Lili Rose veio perguntar se estava faltando água em nossa casa também, já que suas torneiras estavam secas. Nos olhos, desfigurados por causa da maquiagem da noite anterior, o cacho de cabelos descoloridos; no corpo, um vestido mínimo. Lídia a convidou para entrar, ofereceu-lhe uma bebida fresca e depois um banho. Lili Rose saiu do banheiro descalça e pingando, com o roupão de minha mãe meio aberto na frente.

Começaram a dançar na sala, no começo comportadas, depois sempre mais agarradas, ao ritmo lento e sensual de certos discos. Com a barriga para a frente, Lili Rose ensinava como se mexer e se esfregar no corpo de um homem. Esticava a perna pela abertura do roupão e a esfregava na de Lídia, para fazê-la rir. À medida que os minutos passavam, sentia-me um pouco inquieta e olhava para a porta, mas elas não. Tinham mudado o lugar da mesinha e passaram para uma dança frenética e ininterrupta, agitando-se como se estivessem possuídas. Lídia tinha tirado a camiseta molhada de suor, ficando de calças curtas e sutiã. Ao final de um disco, caíram uma sobre a outra no sofá, ofegantes. O cinto do roupão tinha se desamarrado da cintura de Lili Rose, deixando-a à mostra.

Minha mãe as encontrou assim, voltando para casa mais cedo do funeral.

Fiquei atrás das cabines. Adriana, em lágrimas, encontrou-me por acaso, vagueando. Talvez tivesse caído da gangorra. Nem sequer tinha limpado os lábios e o nariz, cheios de areia. Sentia-se indefesa naquele ambiente estranho, e não tinha encontrado o guarda-sol na primeira fila onde poderia me esperar com o irmão.

— Não caí sozinha, aqueles lá me empurraram — lamentou-se quando chegamos perto de Vincenzo. — Disseram que nunca venho aqui nessa praia e que eu não podia ficar na gangorra. — Com um gesto, indicou a ele os meninos que estavam na área dos brinquedos.

Ele saiu à carga como um touro, não sei se trocaram algumas palavras ou se começaram logo a se bater. Quando eu e Adriana chegamos, já estavam rolando na terra, agarrados como estátuas de areia, todos contra um, o nosso. Chamamos o responsável pelo estabelecimento, que gritou com eles e os separou. Mas depois, à parte, disse-me para não o levar mais: aquele meio cigano de cuecas, quem era? Decerto não era parente de uma família de bem como a nossa. Meu pai até era policial.

Vincenzo se lavou na beira do mar, sem usar o banheiro. Na metade da tarde, sob os guarda-sóis próximos a nós, comiam melão, e nos olhavam. Passou o homem com o apito, caminhava ao longo da orla gritando coco fresco.

— Mas ele vende os ovos de hoje? — admirou-se Adriana.

— Não, é uma fruta exótica. — Mas eu não tinha moedas suficientes.

Ele riu da curiosidade de minha irmã, que se aproximou do balde grande, e deu a ela um pedaço pequeno, para que pudesse experimentar pela primeira vez.

Vestimo-nos e nos dirigimos para o ponto de ônibus. Por um instante, acreditei sentir às nossas costas um geral respiro de alívio. Da janela do ônibus, cumprimentei o prédio de cinco andares onde morava Patrizia e, em silêncio, prometi que voltaria para vê-la.

— Vou no micro-ônibus mais tarde, vou encontrar alguns amigos — disse Vincenzo, levantando-se impetuosamente para descer em um dos pontos da periferia. Ao vê-lo na calçada, todo machucado, pelo vidro empoeirado, não sabia mais o que sentia por ele. Colocou o indicador sobre os lábios olhando para mim enquanto o motorista tornava a partir, e não sei se queria mandar um beijo ou dizer para me calar.

Adriana dormiu até chegarmos à cidadezinha, mas depois, à noite, reclamou do incômodo das queimaduras. Em casa, ninguém reparou nela. A mãe só perguntou se havíamos trazido um pouco de fruta do campo. Vincenzo voltou depois de dois dias e o pai não o puniu, pode ser que nem tivesse se dado conta ou que tivesse desistido de corrigir aquele filho.

# 14

— **DESÇA AQUI, VOCÊ PRECISA VER UMA COISA, VE**nha atrás da garagem — chamou-me pela janela.

Desci um pouco mais tarde com Adriana, e ele me olhou torto.

Mandou-a comprar cigarros para ele na praça, dizendo que poderia ficar com o troco. Vincenzo devia ter muito dinheiro no bolso, pois deixou cair uma nota enquanto pegava as moedas. Só com um olhar, deteve minha intenção de seguir Adriana.

— É muito pequena ainda, não sabe guardar segredo — disse quando ela dobrou a esquina. — Agora, espere aqui.

Voltou logo, com seu jeito desconfiado de olhar para trás, de um lado para o outro. Tirou debaixo do braço um saquinho de veludo azul e ajoelhou-se para abri-lo e mostrar-me o tesouro. Como no balcão de uma joalheria, alinhou as peças na faixa de cimento que circundava o prédio. Deviam ser usadas, o brilho parecia um pouco opaco. Do modo mais delicado que era capaz de ser, desfez o emaranhado entre dois colares e colocou um do lado do outro. Enfim, admirou satisfeito sua pequena exposição de pulseiras, anéis e correntinhas com ou sem pingente, antes de se virar para ver o efeito que aquele espetáculo de ouro provocava em mim. Admirou-se de me ver quieta e preocupada.

— O que você tem, não gosta? — perguntou, levantando-se desiludido.

— Onde os pegou?

— Eu não peguei, pagaram-me com isso — justificou-se com uma careta de menino ofendido.

— Isso vale muito dinheiro. É impossível ganhar tanto em dois dias.

— Meus amigos, antes de eu vir embora, quiseram me agradecer por tê-los ajudado sem pedir nada em troca.

— Agora, o que você vai fazer com isso aí? — insisti.

— Vou vender. — E voltou a se ajoelhar para recolher as joias.

— Você está louco? Se te pegam com mercadoria roubada, você vai parar no reformatório.

— Ah, o que você sabe disso? Quem falou que são roubadas, hein? — Virou-se para me mostrar duas pulseiras que segurava com mão trêmula. Até as narinas pararam de se mexer sobre o bigodinho recente.

— É fácil saber. Além disso, meu pai é policial e sempre contava histórias de como os ciganos roubavam as casas. — Saiu assim. Eu continuava errando o jeito de me referir aos meus pais adotivos.

— Caramba! Sorte sua que ainda pensa no pai policial. Aquele lá, seu tio, nem se lembra que você existe. Nem vem ver se você está bem aqui.

As lágrimas escorreram-me de surpresa, não as senti chegar. Vincenzo tinha falado como Sergio, mas logo se levantou e veio para perto de mim. Enxugou-me o rosto com os polegares ásperos e repetiu que não, com voz e jeito de arrependido, para eu não chorar, que ele não suportava. Espera, espera, disse, e terminou de recolher as joias e de colocá-las no saquinho azul. Todas menos uma.

— Eu chamei você porque queria te dar isso, mas você me deixou puto da vida... — E se aproximou com um coração de ouro pendurado numa gargantilha.

Desviei instintivamente com um passo para trás e de lado, e ele ficou com a gargantilha suspensa no ar, o pingente balançando. Sua testa contraiu-se numa profusão tumultuosa de rugas, a boca ficou como um corte reto. Na testa, a espinha de peixe pulsava, vermelha de uma raiva que se reavivou. Mas também pude reconhecer, em seus olhos, uma paralisia dolorosa, indefeso. Dei um passo para a frente e para o lado contrário, levantei o queixo para receber o presente. O contato das mãos eram estranhamente hábeis para fechar a correntinha atrás da nuca sem olhar. Em meu peito, o gelado do coração. No entanto, o metal rapidamente se esquentou por causa do calor que sobreveio naquele toque.

— Está bonito em você — disse Vincenzo com voz gutural.

Com dedos lentos, reproduziu a forma de um coração maior sobre minha pele, depois queria descer para os seios.

— Aqui estão os cigarros — chegou correndo Adriana.

Parou de repente, não sei o que viu.

— Os cigarros... — repetiu devagar, segurando incerta o maço.

Tinha ainda entre os dentes o palito do picolé de cereja que comprou com o troco. Eu me virei de costas, tirei o presente do pescoço e o escondi no bolso. Eu o usei bem poucas vezes, e o guardo até hoje, um objeto que talvez seja roubado. Não sei como pude mantê-lo por vinte anos, levando-o comigo para todo lugar. É importante para mim. Eu o usei como um talismã em algumas ocasiões, como no exame final do ensino médio, e em alguns encontros importantes. Usarei de novo no casamento de Adriana, se é verdade que quer se casar. Sabe-se lá a quem esse coração pertencia.

Evitava ficar só com Vincenzo. Naqueles dias, um espasmo interno me torcia as entranhas quando eu o via, e logo uma espécie de arrepio na barriga. À tardinha, das janelas do lado da garagem, chegavam seus assobios para me chamar; era preciso força de vontade para ignorá-los. Depois de uma espera breve e inútil, entrava mudo, bravo, batendo a porta. Fazia uma corrente de ar que provocava a queda repentina de uma panela do gancho na parede, o choro sem motivo de Giuseppe, uma dor de cabeça inexplicável em Adriana. Eu resistia, à distância.

Os trocos do sábado eram suficientes para a passagem de ônibus. A meus pais disse a verdade, que queria ir à festa de aniversário de uma amiga de antes. Pedi também para ficar para dormir. Olharam-se por um momento, com aquela incerteza apática.

— Eu não posso te levar, o carro não pega — foi a permissão do pai. Pelo som estranho de sua voz, percebi que não falava quase nunca.

Levantei cedo pela manhã, e da janela avistei, na rampa atrás do prédio, algo de colorido para levar para Patrizia. Outra coisa não poderia lhe dar. Eram dentes-de-leão e modestas flores amarelas, só que cheiravam a nabo. Prendi o ramalhete com um fio e subi para me preparar.

Adriana não sabia de nada. Quando entendeu que eu iria sem ela, correu ao quarto para pegar um desenho que lhe tinha feito e o rasgou na minha cara. Surpreendentemente, a mãe quis me acompanhar à praça até o ponto do ônibus, com o pequeno nos braços. Eu disse tchau a ele da janela e ele mexeu as mãos naquele seu jeito repetitivo que em nada se assemelhava a uma saudação.

Durante a viagem, as flores murcharam e os passageiros dos assentos mais próximos as olhavam, talvez por causa do cheiro. Esperando a porta se abrir no quinto andar do prédio na costa norte, não sabia se deveria dá-las à minha amiga.

Ela saltou sobre mim e gritou de alegria, os cachorros latiram por causa da agitação e o gato veio ver. Com os olhos baixos, me desculpei pela simplicidade do presente, mas ela jurou saltitando que eu era o mais bonito dos presentes que tinha recebido.

Ficamos sozinhas a manhã toda falando sem parar, embora eu falasse um pouco menos. Tinha vergonha de falar com ela de minha nova vida, então eu lhe perguntava desesperadamente da sua. Reencontrava os cheiros da casa, de canela na cozinha, o suor um pouco azedo de Patrizia no quarto, e no banheiro o perfume número cinco da mãe, que o usava sempre antes de ir para o escritório. Eu estava um dia atrasada para a festa de aniversário, mas na geladeira havia sobras deliciosas salgadas e doces que beliscamos deitadas na cama por horas. Pat contava das competições de natação que ganhara, eu teria sido a terceira ou a quarta a chegar caso tivesse participado. Rimos do menino de nariz comprido que tentava conquistá-la havia meses.

— Como fará para me beijar com aquela tromba? — perguntava-se, em dúvida se iria ou não conceder a ele uma oportunidade.

"Quando você não estava...", assim ela começava a contar cada história nova, como se minha ausência fosse já um capítulo concluído.

# 15

**O GATO MIAVA E ESFREGAVA-SE NA DONA, MAS SÓ** recebia um carinho distraído e nada para comer. Tínhamos nos esquecido do dia que corria, Pat tinha ficado de pijama. O barulho da porta e depois das chaves colocadas no aparador na entrada nos tirou de nosso mundo a dois, já reconstruído. Vanda comoveu-se e me deu um longo abraço apertado, deixando grudado em mim o cheiro do perfume francês. Fechei os olhos perdendo-me durante toda a duração do abraço da blusa de linho branco. Entendeu que eu não tinha rancores, eu a tinha perdoado sem pensar duas vezes por ter se recusado a me esconder em sua casa.

— Deixe-me ver — disse depois, dando um passo para trás.

Disse que eu tinha crescido e que estava apenas um pouco mais magra. Por acaso, justamente naquele dia, havia comprado na rotisseria berinjelas a parmegiana, um dos meus pratos preferidos. Enquanto eu mastigava, me observava sorrindo. Desistira da porção que lhe cabia com o pretexto de uma dieta há tempos deixada de lado. Nesse meio-tempo, o pai de Pat telefonou, nós só o veríamos à noite. Comi também a sua parte e raspei o fundo do prato com pão. Minha amiga se surpreendeu, pois eu não costumava fazer isso antes.

— Lá na cidadezinha é assim — expliquei sem graça.

Vanda era docemente curiosa em relação à minha família natural e, com ela, eu era menos evasiva. Às vezes, eu baixava um pouco a guarda, mas logo tornava a me envergonhar. Com vergonha, comecei a reconhecer meus primeiros pais.

Listei o nome dos outros filhos, contando alguma coisa de Adriana e de Giuseppe. Não sabia se descrevia os dois com pena ou com ternura, sobretudo ela. Minha irmã, era assim que a chamava. De Vincenzo, não falei nada.

— E os seus pais? — finalmente chegou ao ponto.

— Não falei mais com eles, depois que meu pai me levou para lá.

— Não, quis dizer aqueles com quem você está agora.

— Ele trabalha na olaria que faz tijolos, mas não sempre, acho. — E parei por aí. Pedi desculpa e fui ao banheiro com urgência, mas só para me fechar lá dentro e esperar um pouco, cheirando os vidros de perfume. Dei a descarga só por dar e voltei. Como pensava, Vanda já tinha se distraído com outra coisa.

Mais tarde, Patrizia lhe pediu para nos acompanhar ao porto para ver a procissão dos barcos. Era a festa dos marinheiros locais. Depois da missa na igreja mais próxima, o barco principal, todo enfeitado com guirlandas e flores, partiu com o padre e a estátua do santo, sendo seguido pelos barcos pesqueiros, até mesmo o menor deles, também decorado com bandeirinhas multicoloridas ao vento. Eu e Pat corremos atrás deles pelo cais em meio à multidão, depois os deixamos seguir para o norte, costeando a praia. Antes de voltar, teriam de jogar na água uma coroa de louros em memória dos mortos no mar. As mulheres dos pescadores vendiam peixinhos fritos, e Patrizia comprou um saquinho para cada uma. As espinhas pequenas das espadilhas fizeram cócegas em nossas línguas. No jantar, comemos mais ainda, para não desiludir Vanda, que tinha gratinado os peixes trazidos pelo marido.

— Vi seu pai na semana passada — disse Nicola. — Estava em uma blitz fora da cidade.

— Você falou com ele? — perguntei ansiosa.

— Não, ele estava parando um caminhão. Deixou crescer a barba.

— Não pense nisso agora. — Pat me sacudiu depois de olhar para o pai. — Vamos nos preparar, vamos para a festa. Você pode usar uma roupa minha.

Naquele ano, também não perderíamos o espetáculo pirotécnico final.

— Não vale a pena ir de carro — disse Nicola. Então, subi no quadro de sua bicicleta e partimos. Pedalava com pouco esforço, tocando a buzina para alertar os pedestres cada vez mais numerosos na direção do porto. Seguíamos silenciosas e suavemente, entre as luzes e os odores caramelados das primeiras bancas, algodão-doce, amêndoas crocantes. De vez em quando, um sopro de cheiro de esgoto. Mais para a frente, na larga calçada à beira-mar, não era mais possível seguir adiante; então, descemos das bicicletas e as prendemos nas grades de um comércio. Eu e Patrizia queríamos ir um pouco por nossa conta. Seus pais marcaram de nos encontrar depois dos fogos. Esperamos o começo sentadas na praia em uma primeira fila imaginária e, aos poucos, a multidão começou a se acomodar atrás de nós, à espera. De ambos os lados, outros meninos, um deles com os óculos de estudante do ensino médio e outro com os cabelos crespos, se esticavam de vez em quando para a frente para me olhar discretamente.

— Parece que você agrada aquele ali, o encaracoladão — riu Pat piscando na direção dele.

Pus-me em torno dela e a abracei forte, por um momento. Não conseguia dizer-lhe o quanto sentia sua falta, dela e da vida que me havia rejeitado. Talvez tenha visto as lágrimas que eu procurava esconder dela.

— O que você tem? — perguntou e não lhe respondi.

Alguns preparativos anunciavam o espetáculo, e uma onda de excitação percorreu os espectadores. Ficamos em pé, com os olhos no escuro, voltados para o mar. Começaram à surdina como se fosse um ensaio, disparando em intervalos, depois em um crescendo contínuo. Apagavam-se, após um instante de glória, universos de estrelas que acabaram de explodir sob o fundo frio dos astros fixos. Sob a água, longe de nossos pensamentos, o susto mudo dos peixes.

De repente, uma mão forte e decidida apertou a minha. Virei-me sorrindo para Pat, que não via há alguns minutos. Não era ela. Quem segurava minha mão era o rapaz de cabelo encaracolado, os reflexos dos fogos nas lentes dos óculos. Experimento de novo o mesmo arrepio no estômago, um pouco atenuado na distância dos anos. Entre todas as meninas, tinha escolhido a mim.

— Como você se chama? — perguntou-me ao pé do ouvido com a voz e o hálito doce. Os traços delicados mudavam de cor de momento a momento, como as maravilhas no céu.

Quem sabe se ouviu a resposta do nome, durante o estrondo da última salva dos fogos de artifício. Não consegui ler seu nome nos movimentos dos lábios, talvez Mario ou Massimo. Da mão que me segurou forte por uns instantes, o calafrio quente subiu pelo braço, até o coração. Alguém o empurrou e o beijo que deveria ser no meu rosto acabou se perdendo no ar. Perdemo-nos nós dois também, na multidão que se dispersava na praia. Eu tinha de procurar Patrizia e ele não soube como ficar perto de mim. Podia ter a idade de Vincenzo, mas era muito diferente.

Desde quando fui devolvida, nunca mais tinha dormido um sono longo e profundo como naquela noite. Quando a luz do alvorecer filtrou através da janela, a angústia sutil de um outro dia veio se deitar na cama dos hóspedes. Levantei-me atordoada como após uma bebedeira. Tinha de voltar para o vilarejo à tarde. Sentei-me à mesa do café da manhã com Vanda, a única já em pé.

— Você não viu minha mãe nesse período?

— Nunca, desde que você não está mais com ela. — E me serviu leite e chocolate.

— Mas alguma vez passou na rua da minha casa?

— Sim, porém estava sempre tudo fechado. — Passou-me pão e geleia, biscoitos em forma de coração.

— Talvez a tratem em um hospital distante e meu pai a tenha acompanhado.

— Por que você pensa nisso?

— Porque ninguém me pediu de volta lá na cidadezinha e ela não tinha motivos para me devolver. Talvez tenha escondido a verdade para não me assustar, mas nas últimas semanas faltavam-lhe forças para cozinhar, para fazer a limpeza. Estava na cama e chorava para mim. — Parei para esfregar meu olho. — Porém, estou certa de que, quando se recuperar, irão me buscar e reabriremos a casa — concluí.

Vanda bebeu o café, pensativa. Uma pequena mancha marrom grudou no seu nariz.

— Com o tempo, tudo ficará mais claro — disse —, agora procure resistir, ao menos pelo ano escolar que está começando. Depois, com as notas que você tem, terá de fazer o ensino médio na cidade, de um jeito ou de outro.

Concordei, com a cabeça sobre o leite que estava esfriando, levando uma unha à boca.

— Agora coma. Verá que deixarão você vir outras vezes à nossa casa.

Mais tarde, perguntei a Patrizia se não queria me acompanhar até minha antiga casa, não era longe. Ela se entusiasmou como se fosse uma missão aventureira.

— Levo uma chave de fenda? — perguntou com a voz baixa de agente secreto. Segundo ela, teríamos de arrombar a fechadura do portão.

Entretanto, ele estava aberto, e dava para ouvir barulho nos fundos. Entramos cautelosas, Pat imitava o andar das espiãs nos filmes. Percorremos o caminho de entrada. A areia havia sido varrida, o jardim em ordem, a grama aparada cheirava a corte recente. Um rastelo estava apoiado na parede, mais à frente havia mais ferramentas. A casa sempre fechada, com as persianas abaixadas. Sob o telheiro, minha bicicleta um pouco deslocada e com o pneu furado; ao seu lado, no chão, a bomba. Batidas repetidas nos fundos, depois o silêncio. De novo. A respiração curta, a boca seca, eu estava para encontrar meu pai. Ele batia sempre o martelo daquele jeito para fazer pequenos reparos domésticos.

No canto da parede, eu gritei e me vi nos braços de Romeo, o jardineiro, depois do encontrão. Patrizia, por sua vez, perdeu o equilíbrio e ficou sentada na grama a nos olhar.

— Ei, moça linda, de onde você saiu? Parecia que não tinha ninguém em casa. Pode chamar sua mãe? Já terminei por aqui.

— Meus pais não estão aqui nestes dias — improvisei. — Quem lhe deu a chave?

— Seu pai a deixou em um bar para mim. Ele me disse por telefone para colocar o jardim em ordem antes do outono.

— Você tem a chave do portão?

— Não, do portão não. — Pode ter suspeitado de alguma coisa. — Mas o que você faz aqui sozinha? — E indicou a casa.

— Não, estou na casa da minha amiga, viemos pegar alguns livros. De qualquer modo, você pode deixar a chave comigo, o papai e a mamãe voltam amanhã. — Achava que eu mentia com certa naturalidade, mas ele não caiu no que eu disse.

— Melhor deixar no bar mesmo, como combinei com o marechal.

Desse modo, tirou-me a possibilidade de, pelo menos, entrar no jardim. Não o corrigi quanto ao grau de meu pai na polícia.

No almoço, tinha dificuldade em enrolar com o garfo os espaguetes *alle vongole*. Nicola sabia o quanto eu gostava e me pedia para comer. Uma falta de ânimo me dava um nó na garganta. Na televisão, falavam de novas leis antiterroristas. Em seguida, uma reportagem sobre o primeiro grande parque de diversões italiano, inaugurado havia pouco.

— Não podemos perder este — disse Pat. — Programam viagens de um dia com o ônibus, vamos da próxima vez que você vier.

No entanto, fomos para lá somente anos mais tarde. Tinha acabado de concluir os exames na Universidade de Roma quando a encontrei para irmos juntas.

— Chega desse desânimo, hoje chegamos a *Gardaland* — decidiu em uma manhã no terraço do pequeno hotel com gerânios nas janelas. Na entrada, misturamo-nos com as crianças. Gritei de susto mesmo nos brinquedos mais simples, na montanha-russa, no ponto mais alto da roda-gigante, onde se ficava parado por uns instantes para voltar a balançar de novo. Mas nada me deu a emoção daquela noite com Vincenzo e Adriana, no chapéu mexicano, do barulho de ferragem velha, que pertencia aos ciganos.

Peguei o ônibus em um dos pontos à beira-mar. Insistiram para me acompanhar, todos os três. Vanda até mesmo levava os cachorros na coleira. Eu tinha vindo com as flores na mão e voltava para o interior abastecida com cadernos, lingerie, camisetas e calças e, para levar tudo, uma bolsa que seria útil também na escola. Na despedida, deixei escapar alguns soluços, não consegui sufocá-los. Preferiria me afogar no mar a trinta metros da areia da calçada.

Vejo-me depois sentada no assento junto à janela, com a cabeça apoiada no vidro. De sua parte, Nicola me tinha dado um pacote de biscoitos e, da mesma rotisseria, uma porção farta de berinjela à parmegiana. Pensei em oferecê-las à minha irmã, na tentativa de fazer as pazes com ela. Naquela noite, talvez pudéssemos comer sem que ninguém soubesse, só eu e ela, escondidas na garagem. Eu lhe daria alguns cadernos e lhe emprestaria a bolsa. Assustava-me encontrá-la armada de seu ciúme. Adriana era tudo o que eu tinha no final da viagem do ônibus. Enfim, eu podia chorar sem pudor pela estrada sinuosa, já que o assento ao lado do meu tinha ficado vazio.

# 16

**DESDE O FINAL DA MANHÃ, ELA TINHA SUBIDO** até a praça para me esperar em qualquer ônibus que chegasse da cidade. Não a vi logo na meia-luz do pôr do sol de setembro, pois tinha ficado um pouco afastada. Já estava indo para casa quando ela deu um passo e a vi, com as mãos fechadas para baixo, olhos invisíveis sob as sobrancelhas contraídas. Olhamo-nos a alguns metros de distância, não sabia se devia chegar perto daquele amontoado de raiva mastigada e cansaço. Senti-a observar, com sua rapidez veloz, a bolsa cheia sabe-se lá do quê e os pacotes que eu segurava com dificuldade. Em seguida, deu uma corrida curta e inesperada e me abraçou. Coloquei tudo no asfalto, abracei-a e beijei sua testa. Caminhamos lado a lado sem dizer nada. Ajudava-me com a bolsa e com o resto, mas não quis saber logo do conteúdo. Falou só quando chegamos ao prédio, inspecionando tudo muito bem com os olhos. Mas naquela hora não tinha ninguém, estavam todos jantando.

— É melhor você esconder essas coisas aqui embaixo, senão vão desaparecer. — E indicou o segundo andar, pensando em Sergio e no outro.

Abrimos a garagem com a chave que ficava sempre atrás de um tijolo e nos apressamos.

— Não coma muito — disse para ela na escada. — Depois tenho uma coisa boa para você.

Lá em cima, a família parecia não ter sentido minha ausência. Somente Giuseppe deixou o peito da mãe e pendeu na minha direção. Eu o peguei no colo e ele colocou uma mão melada e adocicada em minha boca.

— Comeu peixe, a senhorita — disse Sergio quando, à mesa, falei que estava sem fome. — Peixe cru — acrescentou, para não deixar dúvidas.

Vincenzo não estava. Depois do jantar e dos afazeres domésticos, eu e Adriana descemos com uma desculpa desnecessária. Ela escondeu talheres na roupa. Sentada em um cesto virado de cabeça para baixo, ela comeu pela primeira vez berinjela à parmegiana, comeu tudo; entendeu sozinha que eu não queria minha parte. O arroto que lhe escapou no fim soou como perdão pelos dois dias de ausência.

Tivemos de ficar com o pequeno na manhã seguinte, pois a mãe tinha ido ao campo apanhar frutas para as geleias. Nós o girávamos na cama entre uma e outra — ele era um pouco como nosso boneco — quando disparou a chorar, contorcendo-se.

— Meu Deus, será que alguma coisa o picou? — perguntei assustada.

— Não, não, isso é porque ele está com dor de barriga, ele se torce — respondeu Adriana tentando pegá-lo no colo.

Acalmou-se depois de uma evacuação líquida e malcheirosa que escorreu pelas costas até o pescoço. Adriana sabia o que fazer: tirou a roupa dele dentro da banheira e ele ficou ali, de quatro, um filhote indefeso e patético no fundo branco todo manchado. Não conseguia tocá-lo naquelas condições. Sem querer, tinha nojo dele. No entanto, ela não precisava de ajuda, lavou-o metodicamente, tirando com as próprias mãos as fezes moles e espumosas. Ela o vestiu a tempo para uma segunda evacuação que, de novo, sujou tudo e depois mais outra, até que não tínhamos mais nada para trocá-lo. Ela o envolveu, então, em uma toalha, e ficou com ele nos braços, de novo gritando, enquanto massageava a barriga inquieta por causa da cólica.

— Agora vai passar, vai passar — repetia em sua orelha e para mim, que fiquei paralisada: — Faça para ele um chá e esprema um pouco de limão.

Mas não encontrava nada na cozinha e, na pressa, derramei água no chão.

— Segure-o um momento que eu faço. — Mas Giuseppe gritou forte e não quis se separar da irmã mais habilidosa. — Peça para a mulher lá de baixo — rendeu-se Adriana.

A mulher lá de baixo deve ter tido pena de minha cara desolada e preparou o chá lá mesmo em sua casa. Subiu comigo para ver e voltou para pegar umas roupas de quando seus filhos eram pequenos. Vestimos Giuseppe só com uma camiseta. De tempos em tempos, seu intestino continuava a se esvaziar, embora com menos violência. Agora eu conseguia me aproximar dele; com um pano, enxuguei seus cabelos suados e, finalmente, deixou o colo de Adriana e veio para o meu.

A vizinha subiu de novo ao meio-dia, com um prato de creme de arroz. Dei-lhe de comer e, depois de umas colheradas, caiu no sono no meu colo.

— Você não vai colocá-lo no berço? — perguntou Adriana. Mas eu achava que ele tinha direito a uma forma de reparação pelo que tinha sofrido.

Os músculos que usava para segurá-lo dormiram como ele e, quando eu mudei levemente de posição, mil formigamentos fizeram com que despertassem, sensíveis. Pensando bem, eu nunca havia provado o prazer de uma intimidade tão estreita com uma criatura.

Quando voltou, a mãe nos repreendeu pelas tarefas que devíamos ter feito e pelo chão que, em alguns lugares onde Giuseppe tinha defecado, estava um pouco pegajoso.

Mais tarde, eu e Adriana descascamos os pêssegos que seriam postos na calda para o inverno. Ela os comia aos montes, escondida de quem os havia trazido do campo. Não tínhamos almoçado porque tivemos de lidar com a disenteria do pequeno.

— Os meninos já andam na idade dele. Giuseppe apenas engatinha e não diz nem mamãe — observei indicando os movimentos rastejantes de nosso irmão.

— Na verdade, Giuseppe não é normal, você não tinha percebido? É retardado — ela respondeu sem se alterar.

Fiquei com a faca no ar, a fruta caiu da minha mão. As sínteses repentinas e espontâneas de Adriana atingiam-me como raios, em determinadas ocasiões. Procurei o menino pela casa, tirei-o do chão de granito e o peguei no colo, falando com ele. Desde então, eu comecei a vê-lo com outros olhos, como sua diferença exigia.

Nunca soube exatamente o que ele tinha, ou o que lhe faltava. Só há poucos anos um médico me deu um diagnóstico difícil.

— É um problema congênito? — perguntei.

Examinou-me dos pés à cabeça, minha roupa impecável, meu aspecto agradável, penso.

— Em parte sim. Mas contra ele agiram certos fatores... ambientais, é isso. Desde pequeno deve ter sofrido alguma forma de privação.

Insistia em me olhar atrás da mesa, as mãos abertas sobre o prontuário médico. Talvez medisse o que separava meu irmão de mim e o que colocava em xeque sua teoria dos fatores ambientais. Ou talvez esta fosse apenas uma fantasia minha.

Na escola primária, Giuseppe foi um dos primeiros a ter um professor de reforço, mas mudava todos os anos e a relação se rompia todo mês de junho. Eu mesma o vi deixar como recordação uma lágrima na palma da mão da professora Mimma. As mãos, justamente, sempre foram o tema preferido dos inúmeros desenhos que fazia desde pequeno, pois esta era sua principal atividade durante as aulas. Retratava os colegas de classe escrevendo, com atenção especial aos dedos; o resto era apenas um esboço, a cabeça em um formato oval com poucos traços reais.

Nunca aprendeu a se defender e se, por acaso, fosse parar no meio de uma briga, ele ficava calmo lá plantado, exposto aos golpes acidentais. Ninguém nunca bateu nele de propósito. Uma manhã, quando fui buscá-lo na escola, tinha um corte na bochecha. A professora contou-me do soco dado por um menino que não mirava nele. Giuseppe pegou a mão do garoto e a abriu, observando-a por um longo tempo, como se procurasse um nexo entre sua beleza e a dor que lhe havia causado. Seu colega de classe ficou imóvel e se deixou estudar.

# 17

**O SINAL TOCOU. OS OUTROS SE MANTINHAM A** uma certa distância no corredor, isolando-me como a estranha. Na carteira onde eu deveria me sentar, alguém colou uma etiqueta invisível com o apelido que usavam na cidade depois que voltei para minha família. Eu era a Devolvida. Não conhecia quase ninguém ainda, mas eles já sabiam bastante a meu respeito. Tinham escutado as conversas dos adultos.

Quando era pequena, uma meia parente a pegou como filha. Mas por que será que foi devolvida para aqueles desocupados agora que cresceu? Será que a mãe que a criou morreu?

A carteira ao lado da minha permaneceu vazia, ninguém a escolheu. A professora de gramática apresentou-me como uma menina que tinha nascido ali, crescido na cidade e que agora, adolescente, tinha voltado. Sabe-se lá quem tinha dito isso a ela.

— Frequentará o oitavo ano com vocês — anunciou entre sussurros e risadinhas. Convidou uma com os dentes tortos a se sentar ao meu lado, ela obedeceu bufando e fazendo barulho para arrastar a cadeira da carteira. — Vai te fazer bem — acrescentou a professora Perilli quando a carrancuda terminou de se acomodar e recolher os livros que tinha deixado cair. — A professora dirigia-se a ela, mas olhava para mim para ver o efeito da primeira tarefa de que me incumbia. Depois, perguntou a cada um de nós como tínhamos passado as férias.

— Vim para cá — eu disse, devagar, quando chegou a minha vez. Não falei nada no resto de tempo que tinha para falar, mas ela insistiu com as perguntas. Tinha os olhos pequenos, mas muito azuis, com cílios tão curvos que desenhavam círculos quase perfeitos. Da posição onde estava, na frente e no meio da classe, eu conseguia vê-la bem, e podia sentir seu perfume. O voo lento das mãos que acompanhava as palavras no ar começava a me cativar. Na segunda hora, notei as pernas massudas cobertas com faixas sob as meias elásticas. Ela estava muito próxima e apoiou a ponta dos dedos em minha carteira.

— Operei há pouco as varizes — respondeu só para mim.

Com um sobressalto, levantei os olhos o mais alto que pude. A professora Perilli estava realmente ali. Parei os olhos nos anéis com pedras coloridas, e misteriosas luzes na secreta profundidade das pedras.

— A azul é safira — disse ela — e a vermelha é o rubi. Em geografia, estudaremos os países produtores destas maravilhas. — Depois, voltando-se para toda a classe: — Agora, iniciaremos uma revisão de gramática. Lembrem-se de que, neste ano, vocês têm o exame do ensino fundamental. — Pegou do meu caderno um grampo que lhe caiu dos cabelos, em seguida voltou para sua mesa.

Ela nos propôs analisar alguns vocábulos. Eu respondia também às perguntas dos outros, baixinho. Ela percebeu e lia a exatidão nos meus lábios.

— O que é ARMANDO?

— Meu tio — adivinhou um brincalhão.

— Muito bem, nome próprio de pessoa — cumprimentou ela, balançando levemente a cabeça.

— E gerúndio presente do verbo armar — escapou-me um pouco mais forte.

— Sabe tudo, a Devolvida — riu o sobrinho do Armando.

— Sim. Ao contrário de você, ela estudou os verbos — concluiu secamente a professora Perilli, fulminando-o com o olhar.

No recreio, Adriana apresentou-se sem temor à porta da classe. Tinha atravessado o jardim que separava a escola primária da média e veio ver como eu estava. Faltava-lhe um botão do avental azul-celeste e a bainha pendia descosturada por alguns centímetros. Qualquer menina de dez anos, magra, com os cabelos oleosos, pareceria patética aos mais velhos que estavam prontos a gozar dela.

— E você, o que veio fazer aqui? — perguntou-lhe a professora, levantando-se alarmada.

— Vim ver se minha irmã está bem. Ela é da cidade.

— E sua professora sabe que você saiu?

— Eu lhe disse, mas talvez não tenha ouvido porque os meninos estavam fazendo barulho.

— Então ela deve estar preocupada com você. Vou chamar um monitor para acompanhar você até a classe.

— Para a classe eu vou sozinha, sei o caminho. Mas antes quero saber se está tudo bem com ela. — E me apontou.

Fiquei sentada no meu lugar, paralisada de vergonha. Ruborizada, fixei o olhar obstinadamente na carteira, como se Adriana não estivesse me olhando. Queria matá-la e, ao mesmo tempo, invejava sua desenvoltura natural e atrevida.

Quando obteve, da professora, a certeza de que tudo estava bem comigo, levantou a voz para nos encontrarmos na saída e depois decidiu ir.

Os meus colegas estavam todos em pé, distribuídos em pequenos grupos na sala de aula. Mastigavam alguma coisa tagarelando e riam, de mim, supunha que de mim. A visita de Adriana fazia de mim um alvo fácil, ou talvez eu estivesse supervalorizando o interesse que eu poderia suscitar neles.

Eu não tinha nada de lanche, não estava habituada a prepará-lo sozinha. De sua mesa, a professora Perilli me observava de tempos em tempos, discretamente, folheando um livro. Apesar das pernas enfaixadas, a certa hora levantou-se de repente.

— Coma pelo menos isso. Sempre tenho um na bolsa, para quem se esquece de trazer o lanche. — E colocou sobre a carteira um pacotinho de bolachas doces. Afastou-se para ver uma briga que ameaçava ficar séria. Após alguns minutos, ficou parada algum tempo e voltou para sua mesa. O recreio estava para acabar. Perguntou-me de Vincenzo, que tinha sido seu aluno. Não sabia o que lhe responder. Há dias que ele não voltava para casa, e ninguém na família parecia se importar. Nem Adriana tinha ideia de onde estava. Eu também começava a me esquecer um pouco dele.

— Trabalha, mas nem sempre — disse.

O sinal tocou e os outros foram para os seus lugares, com o barulho habitual dos pés de metal das cadeiras.

— Que tipo de trabalho?

— O que aparece. — E o revejo em uma tarde quente a cortar lenha para uma vizinha que já amontoava para o inverno. Desci para pegar alguma coisa na garagem e me encantei ao vê-lo, sem que ele soubesse, tomado pelo esforço que acompanhava com sons guturais a cada machadada. Nas inclinações de seu tronco, seus músculos brilhavam à luz ainda crua do dia, e um filete de suor caía-lhe na cavidade da espinha dorsal até molhar o calção que usava como única vestimenta.

— Que pena pela escola.

— Como?

— Que pena ter abandonado a escola — repetiu a professora Perilli.

— Ele é um delinquente! — levantou-se uma voz do fundo.

Ela foi até o colega que havia interrompido nossa conversa.

— Também falaram que você era um delinquente — ela o provocou. — Tenho de acreditar?


Quis ignorar Adriana na saída, mas era impossível. Estava me esperando no portão, toda alegre e saltitante.

— Você é um gênio com os verbos, todos os professores do colégio só falam de você.

Continuei em frente, em silêncio. Ela quase sempre sabia tudo antes de acontecer. Ainda hoje não sei como. Sempre estava no lugar certo, escondida atrás de uma porta, em um canto, de uma árvore, com seu ouvido prodigioso. Em parte, perdeu um pouco dessa capacidade quando cresceu.

Caminhava alguns passos atrás, e talvez estivesse aflita porque eu estava emburrada.

— Mas o que eu te fiz? — protestou diante dos Correios. A suspeita de ter me deixado envergonhada com sua incursão na minha sala de aula nem passava pela sua cabeça. Decidi esperá-la quando dois colegas começaram a andar do lado dela. Eu era a irmã maior e precisava protegê-la.

— Mas quem são seus pais, dois coelhos? Agora, com a Devolvida, em quantos vocês são: seis, sete? — o maior caçoou dela.

— Pelo menos nossa mãe faz os filhos com o marido, já a sua dá para quem a procura — replicou prontamente Adriana, enquanto disparava a correr. Com um toque no meu braço, sugeriu que eu também corresse; assim escapamos, com a vantagem da surpresa e da leveza. Não nos alcançaram, de fato, e quando nos vimos em um lugar seguro nos dobramos de rir pensando na cara dos dois.

# 18

**APÓS DIAS DE AUSÊNCIA, VINCENZO VOLTOU EM** uma tarde de outubro, com a cara mudada e o olhar de quem havia superado um limite. Vestia roupas novas, e os cabelos recém-cortados deixavam mais descoberta a espinha de peixe na têmpora. Trouxe um presunto que acomodou em uma cadeira da cozinha, como um hóspede importante. Com aquela novidade, talvez pensasse que ninguém lhe diria nada pela sua enésima fuga. Todos os olhos se voltaram para a coxa salgada, com o osso que se mostrava por causa da carne seca. O pai não estava, ainda não tinha voltado da olaria.

— A gente vai começar agora? — perguntou Sergio, naquele silêncio.

— Não, vamos esperar a hora de comer — respondeu-lhe bruscamente o irmão.

Mandou que eu e Adriana fôssemos à padaria pegar pão fresco. A mãe sempre comprava o do dia anterior para pagar menos.

Com medo de se afastar, os meninos ficaram ali, consumindo minuto a minuto a longa e nervosa espera pelo jantar. Apoiado na vertical nas costas da cadeira, o presunto nos encarava impassível. O odor da banha de porco apimentada que o recobria crescia junto com nossa fome. De tempos em tempos, Vincenzo olhava de soslaio meu corpo e minha cara duvidosa acerca da origem de seu presente para a família. Giuseppe engatinhava em torno dos pés da cadeira. Ele também podia sentir que a atenção de todos estava concentrada ali em cima.

— Mas, enquanto isso, vamos cortá-lo, não? — impacientou-se Sergio.

— Não, ele tem de vê-lo inteiro — respondeu Vincenzo com um tom feroz, falando do pai que demorava a chegar.

Chegou, enfim. As calças tinham as manchas de tijolo cru, e os dedos estavam abrasados e embranquecidos.

— O filho voltou com aquilo — disse-lhe a mulher, apontando com o queixo. — Vá se lavar para comer.

Ele deu uma olhada distraída no jantar.

— De onde ele roubou isso? — perguntou, como se Vincenzo não estivesse ali a um metro, de punhos cerrados, rangendo os dentes.

Indo se lavar, o pai bateu na cadeira e o presunto caiu, com um baque macio. Sergio prontamente o tirou de lá e o colocou sobre a mesa, pegando uma faca porque a hora tinha chegado. Vincenzo a tirou de sua mão e se aproximou da porta do banheiro.

— Estou trabalhando pra caramba lá na cidade e o *boss* resolveu me dar um prêmio por tudo que faço, além do dinheiro que eu tinha para receber — disse para o pai que saía com as mãos úmidas. Apontou-lhe o presunto com a lâmina e depois a encostou no pescoço dele, por um momento. — Para seus filhos, você só serve para comprar pão velho que sobra na padaria, por isso que está falando mal — sussurrou antes de deixá-lo ali, sem palavras.

Afiou uma faca na outra e pôs-se a cortar furioso. Jogava as fatias em um prato que Adriana segurava, mudando para cá e para lá para não errar o alvo, enquanto os irmãos espichavam as mãos para pegá-las quase no ar. Eu observava a habilidade de Vincenzo enquanto separava a pele da gordura com uma faca tão pouco apropriada e me sentia culpada por ter as mesmas suspeitas que o pai. Talvez quisesse verdadeiramente tentar aprender a profissão, e talvez da outra vez não fosse mentira que os ciganos o pagaram com ouro. E os boatos da cidade também podiam ser infundados.

— Chega, assim não está bom — disse aos irmãos. — Vocês têm de comer com pão e não são só vocês dois que têm boca.

Com um sinal seu, a mãe entendeu que tinha de cortar o pão. Preparei os sanduíches com Adriana e os distribuímos várias vezes, até três ou quatro por cabeça. O primeiro foi para o pai, que o aceitou sem embaraço. Giuseppe chupava uma fatia de presunto temperada com catarro que lhe saía do nariz, até que vi e o limpei. Eu e Adriana fomos as últimas a nos servir, junto com Vincenzo. Tinha saciado sua família. Sentou-se perto de nós e mastigamos em silêncio, enquanto os outros, já satisfeitos, saíam da cozinha um a um.

— A professora Perilli manda lembranças — eu lhe disse, no final do jantar.

— Ah, sei. Não queria que eu saísse da escola.

— Verdade, ela ainda diz para você voltar.

— Tá certo! Eu agora barbado vou lá com o caderninho para fazer os outros caírem na risada. — falava como um bufão, mas ficou um pouco vermelho.

— A professora diz que você é muito inteligente.

— Mas não vou voltar, tenho outras coisas para fazer. — Levantou-se para ajeitar o pouco do presunto que tinha sobrado.

— Agora que trabalha na cidade, você dorme com seus amigos? — eu lhe disse, varrendo as migalhas do chão.

— E daí? Que mal tem? Os ciganos que eu conheço vivem em casas e são gente boa, não são como as pessoas pensam. O policial colocou um monte de bobagem na sua cabeça.

Mais tarde, quando a lua faltava na janela, o quarto estava na mais perfeita escuridão, e em silêncio. Não estava dormindo, mas talvez estivesse distraída pela minha própria respiração; não percebi nenhum movimento, somente o hálito quente e salgado sobre mim, de repente. Devia estar ajoelhado no chão, ali do lado. Levantou o lençol e estendeu a mão, jamais a imaginaria tão tímida e leve. Mas era o começo, ou o medo que, ao acordar-me subitamente, eu começasse a gritar. Fiquei imóvel só aparentemente, toda minha pele estava arrepiada, os batimentos acelerados, as mucosas logo úmidas. Eu me vejo a distância no corpo adolescente, campo de batalha entre desejos novos e as proibições de quem havia me mandado para lá. Vincenzo pegou o seio com a palma da mão e encontrou o bico ereto. Eu o senti se movendo e o colchão afundar do meu lado, mas não tinha uma ideia precisa de sua posição. Quando levou os dedos ao púbis, eu segurei seu pulso com as mãos. Parou, mas parecia que por pouco tempo, tampouco sabia quanto duraria minha resistência.

Não estávamos habituados a sermos irmãos e, no fundo, não acreditávamos nisso. Talvez não fosse pelo mesmo sangue que eu o mantinha parado, eu tentaria defender-me contra quem quer que fosse. Estávamos ofegantes, suspensos à beira do irreparável.

Um bocejo de Adriana nos salvou. Como uma gata sonolenta, ela descia pela escadinha para terminar a noite dormindo ao meu lado. Certamente havia molhado lá em cima. Vincenzo moveu-se rápido e silencioso, um animal surpreendido. A irmã não se deu conta dele. Ofereci a ela um espaço superaquecido por energias que ignorava e logo começou a suar, descobrindo-se em seguida. Eu também continuava a emanar calor. Fiquei com os ouvidos atentos na direção da cama dobrável de Vincenzo. Eu o ouvi agitar-se, e depois o silêncio. Deve ter chegado sozinho aonde queria me levar.

Como nos outros dias, eu me levantei de madrugada para estudar na mesa da cozinha. Às vezes, era impossível estudar naquela casa durante a tarde. Logo ele chegou, abriu a torneira atrás de mim e esperou que saísse água fresca. Eu o ouvi beber por muito tempo, dando goles grandes e barulhentos. Estava com a cabeça em uma guerra qualquer do livro de história, mas perdi a concentração. Ficou alguns minutos ali atrás, eu não percebia nenhum movimento. Encostou-se em minha cadeira e beijou minha testa, depois de tirar o cabelo. Desapareceu sem dizer nada.

# 19

**A CALIGRAFIA FLOREADA NO ENVELOPE FECHADO** da carta que chegou de manhã era de Lídia, a irmã do meu pai policial. Do lado do destinatário, escreveu apenas meu nome de batismo, o sobrenome da família com a qual eu deveria estar e a cidade. Ela não sabia o endereço exato e não tinha colocado o seu na parte do remetente. Mesmo sem a rua, o carteiro entregou a carta e a mãe me deu quando cheguei da escola.

— Não pense que vai ler agora, ponha a mesa — ordenou com rudeza.

Desde que a professora Perilli tinha falado com ela na rua, estava irritada comigo. Disse-lhe que eu era uma aluna brilhante e que no ano seguinte eu deveria me inscrever em uma escola na cidade para cursar o ensino médio. Ela, a professora, vigiaria as decisões da família no assunto e falaria com os assistentes sociais se necessário. Com esta ameaça, ela a deixou sozinha diante dos Correios.

— Aquela lá quer vir mandar nesta casa, disse que você não pode ter o mesmo fim dos meninos. Fui eu que obriguei a não irem mais? — desabafou a mãe. — E depois, é culpa minha que você é muito boa? Gasta até a luz para estudar de manhã cedo e eu fico calada.

Depois do almoço, quis que eu lavasse os pratos, mesmo se a tarefa não cabia a mim e, em seguida, me pediu para enxugá-los. Eles geralmente ficavam escorrendo na pia, mas naquele dia eu estava com pressa para abrir o envelope e, de propósito, ela me fazia perder tempo.

Lídia escrevera um simples bilhete. Da carta dobrada caíram algumas notas de mil liras. Havia sido informada da minha transferência, era assim que chamava o que houve, e sentia muito, mas eu era uma menina tão inteligente e ela confiava na minha capacidade de me ambientar. Infelizmente, estava longe e ocupada com o trabalho e com a família, do contrário teria vindo ver como eu estava com meus pais verdadeiros. Não são ruins, me tranquilizava, são nossos primos distantes, meus e de seu pai. Sabia que você era filha deles, mas não cabia a mim dizê-lo a você. E estava segura de que você iria ficar para sempre com meu irmão e minha cunhada. Às vezes, basta pouco para a vida mudar de repente.

Havia ainda algumas perguntas; talvez ela não tenha percebido que, por ter omitido seu endereço, não poderia receber as respostas. Ela concluía antecipando que viria me encontrar no verão, nas próximas férias. Entretanto, o dinheiro me seria útil para pequenas despesas pessoais. Ela também se preocupava só com isso, como se ali onde eu estava não me faltasse outra coisa.

Fiquei com a folha inerte nas mãos. Uma raiva ácida subiu-me do estômago, como uma onda ao contrário. A mãe se aproximou, atraída pelas notas que tinha visto voar. Ela as recolheu e as deu para mim, pedindo para que lhe deixasse duas. Levantei os ombros sem força, o que ela entendeu como um sinal de consentimento. Não havia ninguém em casa naquela hora. Curvou-se para procurar alguma coisa embaixo da pia, nas garrafas cheias e vazias, na lata do lixo, nos ninhos de baratas. Fechou a cortininha sob a pia por causa do forte cheiro de mofo e se virou. Eu estava diante dela, a poucos centímetros.

— Onde está minha mãe?

— Ficou cega? — respondeu, fazendo um gesto para sua pessoa.

— A outra. Vocês podem se decidir a me contar o que houve com ela? — E joguei a carta de Lídia no ar.

— Eu lá sei onde ela está? Eu a vi somente uma vez, pouco antes de você voltar. Veio falar com a gente, acompanhada de uma amiga — arfava levemente, o suor umedecia o buço.

— Não morreu? — insisti.

— Mas por que você acharia isso? Aquela lá vai viver cem anos, com a vida tranquila que tem — riu, nervosa.

— Ela estava mal quando me mandou de volta para cá.

— Bem, aí já não sei. — As duas mil liras que tinha colocado no sutiã se mexeram e saltaram pelo decote em V da malha.

— Mas tenho de ficar aqui para sempre ou mais adiante virão me buscar? — tentei.

— Você fica com a gente, isso é certo. Mas não me pergunte de Adalgisa, isso você deve ver com ela.

— E quando? Onde? Alguém pode me dizer? — gritei para ela bem de perto.

Peguei as notas enroladas do peito e as rasguei. O espanto fez com que ela congelasse e não tivesse tempo de me deter. Não reagiu imediatamente. Olhou-me com as pupilas fixas e negras. Descobriu os dentes e a gengiva, como um cão que se prepara para a luta. O tapa veio frio, potente. Vacilei. Dei um passo para o lado para não perder o equilíbrio. Ali estava a garrafa de azeite que ela tinha encontrado embaixo da pia. Eu esbarrei nela e se quebrou. Por alguns segundos, seguimos quase hipnotizadas a mancha amarela e transparente que aumentava devagar sobre o piso, junto com pedaços de vidro e pedaços das notas.

— Estava na metade e era a última. Neste ano, você também vem colher as azeitonas. Assim, vai aprender a ganhar o que come — disse, antes de começar a me bater na cabeça porque eu era culpada de todo aquele desastre.

Eu me protegia com as mãos sobre as orelhas e ela procurava espaços descobertos para bater e machucar.

— Não, não, ela não! — Era o grito de Adriana que acabava de chegar com Giuseppe. Não pude escutar o barulho da porta. — Agora pode deixar que eu limpo, não precisa bater nela também — insistiu, imobilizando o braço da mãe, na tentativa de defender a minha unicidade, a diferença entre mim e os outros, ela incluída. Nunca entendi o gesto de uma menina de dez anos que apanhava todo dia, mas queria salvar o privilégio que eu gozava, a irmã intocável chegada há pouco.

Recebeu um empurrão que a mandou de joelhos para cima dos pedaços de vidro e azeite. Do cercado, Giuseppe uniu-se a seus gritos de dor. Eu a ajudei a se levantar do chão e a se sentar, começando a tirar com as mãos os pedaços de vidro fincados em sua pele. O sangue jorrava pela penugem que, às vezes, as meninas têm naquela idade. Escutamos a porta bater, e o choro do pequeno parou de repente; a mãe o tinha levado embora. Para os pedaços menores de vidro tive de usar uma pinça para sobrancelha que Adriana, sabe-se lá porque, possuía. Às vezes, escapava um *ai!* Eu tinha também que desinfetar.

— Só tem álcool — disse ela, resignada.

Eu também chorei enquanto ela berrava por causa do ardor, e lhe pedi desculpas, disse que era tudo culpa minha.

— Você não fez de propósito — me absolveu —, mas agora nos esperam sete anos de desgraças. Esta é a primeira. O azeite vale como o espelho.

No fim, enfaixei seus joelhos com lenços masculinos, pois não tínhamos outra coisa. Caíram-lhe nos tornozelos assim que se levantou. Ela me ajudou a limpar, com atenção para que não nos cortássemos. Viu o papel no chão e as notas rasgadas; eu lhe contei toda a história.

— Você está sempre tão quieta. Hoje, de uma única vez, ela te descontrolou? — informou-se olhando o chão da cozinha. — Você ao menos escondeu o dinheiro que sobrou?

A mãe havia colocado o restante sobre a mesa assim que acabou de recolher as notas do chão, mas tinham desaparecido. Deve tê-las pegado antes de sair, como compensação pelos danos que eu havia causado. Mais tarde, voltou como se nada tivesse acontecido. Era assim que ela sempre fazia. Ordenou que descascássemos as batatas para o jantar.

— A de baixo diz que você é a melhor aluna da escola — contou com um pouco de orgulho com a mesma voz apática, mas talvez eu só tenha imaginado. — Não acabe com a vista nos livros, porque óculos custam caro — acrescentou.

Depois dessa vez, ela nunca mais me bateu.

# 20

**NÃO O VÍAMOS HÁ DIAS. CORRIAM RUMORES NA** cidade de que ele estaria com uma quadrilha de gatunos que agia pelo interior e roubava casas simples, na mesma hora, em lugares diferentes.

O presunto que tinha trazido terminou logo. A mãe tinha cortado o osso em vários pedaços, enquanto eu e Adriana segurávamos uma das pontas. Ferveu um a um dos pedaços com feijão e as sopas ficaram saborosas e cheias de gordura. A dieta permaneceu a mesma por um período, de modo que nossos intestinos ficaram num alvoroço só.

Minha irmã não foi à aula naquela manhã, estava com dor de barriga. A viúva do térreo abriu a porta quando reconheceu meus passos.

— Fique de olho porque hoje vai acontecer uma desgraça — anunciou. — Esta noite, duas corujas cantavam na janela do quarto de sua mãe — ela disse, em resposta ao meu olhar de interrogação.

Na saída da aula, o ar estava muito quente para aquele período. Atravessei a praça em meio às bancas da feira que estavam sendo desmontadas. Em frente ao furgão da leitoa, um redemoinho levantava pó e papel usado, e o vendedor logo cobriu as sobras com uma toalha. Ele me viu, como todas as quintas-feiras.

— O que você faz aqui? Não sabe do seu irmão?

Fiz que não com a cabeça.

— Um acidente.

Parei. Não quis lhe perguntar de qual irmão ele estava falando. Acrescentou que nossos pais já se encontravam no lugar. Não me lembro que meio de transporte eu usei para chegar lá, nem a quem eu pedi para me acompanhar.

Havia dois carros estacionados no acostamento, atrás do carro da polícia, que havia sido chamada por causa de um roubo. Não confiavam nos policiais da cidade, que nunca conseguiam pegar aqueles delinquentes. Os agentes da polícia tinham seguido uma lambreta velha sem escapamento que derrapou na curva, talvez por causa dos pedregulhos ou de uma mancha de óleo, e saiu da estrada. O rapaz que guiava se agarrou no guidão e não havia se machucado gravemente. Já estava sendo operado no hospital.

Vincenzo não conseguiu se manter agarrado à cintura do amigo. Voou sobre a vegetação de erva rala e rasteira do outono, até o cercado das vacas. Será que ele conseguiu ver, durante aqueles mínimos instantes no ar, onde iria se prender? Caiu com o pescoço sobre um arame farpado, como um anjo muito cansado para bater as asas pela última vez, para ir além da linha fatal. As pontas de ferro penetraram a pele, abriram a traqueia e cortaram a artéria. Ficou com a cabeça pendurada do lado dos animais no pasto, o corpo frouxo do outro, de joelhos, com um pé torto. As vacas se voltaram para olhá-lo, depois abaixaram os focinhos e continuaram a pastar. Quando cheguei, o camponês imóvel apoiava-se no rastelo, diante da morte que acontecera em seu pasto.

Os policiais disseram que era preciso esperar o médico. Apoiada em uma árvore, eu o via um pouco de longe. Não sei por que não o cobriram. Estava ali, exposto aos curiosos, como um espantalho mal acabado. Soprava um vento leve que lhe mexia a barra da camisa.

Eu me agachei, descendo com as costas pela aspereza do caule. Em algum lugar ouvia-se os gritos da mãe, como os berros de todo dia. Depois, o silêncio ocupado por uma voz baixa que tentava consolá-la. De tempos em tempos, também subiam aos céus as blasfêmias do pai, acompanhadas dos braços que ameaçavam Deus. Outras mãos o seguravam, na tentativa de acalmá-lo.

Eu me deitei de lado, em posição fetal, sobre uma quantidade mínima de vegetação. Alguém se deu conta e se aproximou. A Devolvida, diziam, ou a irmã. Eu os ouvia, mas como se através de um vidro. Tocaram-me um dos ombros, os cabelos, pegaram-me pelas axilas e me ergueram até pelo menos me sentar. Eu não poderia ficar no chão daquele jeito. Falavam entre eles do acidente, sem economizar detalhes, como se eu não estivesse ali. Perguntavam-se os rapazes estavam ali porque teriam ido roubar. Um deles jurava que sim, embora não soubesse onde nem o quê. Os policiais haviam encontrado, caídos da lambreta, apenas duas varas de pesca e um saco com peixes dentro, capturados mais adiante no rio, naquela manhã de sol. Pode ser que meu irmão quisesse levá-los para o nosso jantar, como ele fez com o presunto. Dois homens maravilhavam-se, nunca tinham visto tão grandes naquela região.

Luz e sombra, fornecidas pelas nuvens vindas da montanha, se alternavam, trazendo um frio repentino. Pensaram de me acompanhar até uma pequena casa próxima, para um copo de água. Não quis. Algum tempo depois, uma mulher da roça veio com um copo de leite de suas vacas.

— Tome — disse.

Balancei a cabeça, mas algo nela, talvez a espessura da mão sobre meu rosto, convenceu-me a experimentar. Bebi um gole, mas tinha gosto de sangue. Devolvi o copo quando a chuva começava a cair dentro dele.


Vincenzo não voltou para casa. Não tinha espaço para a vigília fúnebre ali. A igreja paroquial acolheu o caixão de abeto natural com ele, vestido de camiseta e a calça boca de sino que há pouco havia comprado. Por piedade, o médico do município suturou o grande corte no pescoço. Os pontos pareciam espinhos de ferro que se lhe encarnaram ao final do voo. Aquele corte não teria tempo de cicatrizar como a espinha de peixe na testa. Na penumbra forte do incenso, o rosto parecia inchado e lívido, a não ser por algumas áreas repentinamente claras, com nuances quase esverdeadas.

Adriana foi a última a saber. Uma longa crise de choro, jogada na cama vazia do irmão.

— Agora não posso mais lhe devolver o dinheiro que você me emprestou — repetia-lhe, apesar da ausência.

Depois, colocou-se a vasculhar todos os cômodos da casa. Suas mãos agitavam-se de modo febril dentro das gavetas, armários e latas. Eu a vi colocar alguma coisa no bolso antes de sair para encontrá-lo na igreja. As vizinhas giravam ao redor do caixão colocando, ao lado do corpo, os objetos úteis a Vincenzo no além: pente, gilete, lenços masculinos. Moedas destinadas a pagar a Caronte pelo trajeto de barco. Em seguida, Adriana encostou-se e tocou-lhe os dedos cruzados no peito. Afastou-se de pronto, não esperava que estivessem tão frios. Pegou do bolso o presente dos ciganos e queria colocá-lo no dedo médio, onde ele geralmente o usava. Não conseguiu. Teve de colocar no mindinho, e chegou só até a metade. Rodou um pouco o anel, deixando ver o adorno gravado na prata.

Veio pouca gente vê-lo, parentes da família e velhas das redondezas cuja única diversão era ver os mortos. Veio a professora Perilli e, em vez de fazer-lhe o sinal da cruz, como os outros, beijou-lhe a testa depois de ter ficado algum tempo de pé ao lado dele.

De um vilarejo na montanha chegaram os avós paternos, que nunca saíam de lá. Sentaram-se ao lado do neto, deitado para sempre. Eu não os conhecia e não sei se se lembravam de mim recém-nascida. Adriana sussurrou-lhes quem eu era e, de sua imobilidade, olharam-me por um momento, tal qual a uma estrangeira. Ficaram retraídos. Minha primeira mãe tinha já perdido os pais e eles não podiam confortá-la.

Por volta das onze, o padre começou a apagar as velas e nos mandou embora. Vincenzo ficou sozinho em sua última noite sobre a terra, observado pelos olhos fixos das estátuas.

Eu distinguia apenas algumas palavras no sermão da manhã seguinte, referências a quem se perdia na falta de uma direção precisa e firme, ovelha desgarrada que o Senhor acolheria em seu abraço misericordioso graças às nossas preces. Na saída, uma pancada de chuva e um círculo de guarda-chuvas pretos em torno de nós, para as condolências. Um desconhecido não sabia como fazer e me desejou felicidades, beijando-me no rosto. Deve ter sido naquele momento que me senti membro da família de Vincenzo.

Não choveu mais, no cemitério. Poucos de nós ficamos com ele. Do outro lado da sepultura, certa hora apareceu meu pai policial; com a mão, mantinha levantada em volta do pescoço a lapela do paletó. Cumprimentou-me com um aceno da cabeça, em seguida abriu a boca, como se quisesse falar comigo dali, mas logo tornou a fechá-la. Usava barba, como Nicola tinha dito, e parecia um pouco desleixado. Quase não reagi a um encontro tão inesperado, não me aproximei dele, mesmo porque não saberia o que lhe dizer. Após alguns minutos, não estava mais lá.

Vieram também os ciganos e colocaram-se à parte, sob um clarão de sol. Eram quatro, acho que da mesma idade de meu irmão, exceto um, que parecia mais velho e vestia uma camisa roxa de colarinho grande, com um botão de luto pregado no peito. Usavam sapatos de verniz e brilhantina nos cabelos escuros penteados para trás, como aos domingos. Homenagearam assim seu companheiro, só com a presença.

Do outro lado do muro, seus cavalos os esperavam, soltos.

# 21

**VOLTAMOS PARA A CASA GELADA. NAQUELA NOI**te, a neve aparecera mais cedo nas montanhas e o vento castigava o vale há algumas horas. Os vidros de janelas mal fechadas tilintavam, e as correntes de ar sopravam em todos os ambientes. A vizinha que tinha ficado com Giuseppe durante o funeral veio trazê-lo de volta, mas a mãe lhe deu as costas quando ela se aproximou com o menino nos braços. Nem Adriana quis ficar com ele. Quem o pegou fui eu, que me sentei em uma cadeira e apoiei a cabeça na parede. Eu o segurava sem força e ele, sentindo que não poderia confiar, não se mexia. As mulheres dos outros andares nos prepararam o habitual *cònsolo*, um jantar com comidas e bebidas oferecidas à família nos primeiros dias de luto. Não sei se alguém conseguiu comer.

Após algum tempo, Giuseppe começou a dar sinais de agitação, demonstrando que queria descer. Engatinhou até a mãe vestida de preto, olhando-a de cima a baixo com o olhar interrogativo. Ela também deve tê-lo visto, do alto de sua desolação. Desviou-se dele e foi deitar-se na cama, onde ficou até a manhã seguinte. Em turnos, as vizinhas chegavam com um prato de caldo quente, como quando tinha dado à luz, mas ela sempre virava a cabeça.

Nos dias seguintes, convidavam-nos para todas as refeições, ora uma, ora outra. Eu preferia ficar ali e me virar com pão e alguma coisa ou com o que Adriana me trazia da casa delas.

À noite, acreditava sentir Vincenzo se mexer nos lençóis, e então a morte se tornava apenas um sonho ou uma boa brincadeira. Em alguns momentos, era seu cheiro que se difundia por todo o quarto. E depois, quanta dureza no retorno à realidade da ausência. Despertei sobressaltada com a respiração em meu rosto, como no dia em que me procurou no escuro.

Não era só o que ocupava minhas horas de insônia. Pensei ter visto meu pai no cemitério, mas seu rosto meio encoberto pela barba voltava, insistente. Os olhos severos, ou melhor, desiludidos. Não quis falar comigo, disso eu estava certa. Talvez tivesse medo que eu lhe pedisse mais uma vez para me levar para casa, ou talvez houvesse algo mais naquele olhar. O peso de uma repreensão calada. E se ele tivesse decidido me mandar embora? Nunca havia imaginado essa possibilidade. Mas qual podia ser a minha culpa? Contaram-lhe de um beijo no corredor da escola? Muito pouco para se livrar de uma filha. Mesmo ainda tão jovem, nas fantasias agigantadas da noite, eu compreendia. Se alguma vez errei, não me lembrava.

No início, a mãe passava a maior parte do tempo na cama, deitada de um lado, com os olhos abertos. Giuseppe ficava perto dela e não a incomodava. As gotas de leite, que até uns dias depois ele ainda sugava, tinham secado nos seios. Ficava deitado encostado a ela, naquele calor passivo. Passava por cima daquele corpo abandonado, dava voltas nele. Após algumas tentativas, não se esforçava sequer para chamar a sua atenção, era inútil. Às vezes, porém, gritava de repente e eu o acudia. Parada por alguns instantes no quarto, não sabia o que fazer. Ela me olhava com aqueles olhos. Então, eu pegava Giuseppe no colo e o tirava dali.

Depois, começou a se levantar e, ao vê-la de pé, as vizinhas pararam de nos ajudar. Mas a mãe não fazia nada em casa e, quando lhe sobravam forças, caminhava pela rodovia até a estrada dos ciprestes. Vestia-se sempre de preto e os cabelos despenteados pareciam folhas grudadas nos ramos de uma árvore no inverno. Uma manhã, pedi para acompanhá-la; olhou-me sem dizer nada. Eu a segui, caminhando a um passo atrás, e não trocamos uma única palavra em dois quilômetros.

Animou-se só na terra que cobria Vincenzo. Morto, era o único filho que importava para ela.

No caminho de volta, eu a observava, de novo caminhando a minha frente. Eu diminuía o passo, para ajustar minha caminhada à sua. O mato da rampa a arranhava e ela não sentia. Em alguns momentos, desviava para o meio da estrada, sem se dar conta do perigo. Uma buzina a fez estremecer, antes que eu tivesse tempo de corrigir sua trajetória. Minha pena logo se transformou em raiva, incendiando-me por dentro. Ei-la ali, a mãe desesperada daquele delinquente. Era toda para ele, fechado pelas tábuas de madeira. Não tinha nada para mim, que tinha sobrevivido. Claro que, quando me deu, criatura de poucos meses, não ficou desse jeito. Eu a alcancei e a ultrapassei, continuei sem olhar se tinha se salvado dos carros. Se alguém deveria protegê-la, não era eu.

Depois de alguns dias, a professora Perilli tocou a campainha lá em baixo. Queria falar comigo e com a Adriana. Nós descemos, pois tínhamos vergonha de recebê-la em casa.

— Amanhã voltem para a escola, vocês duas — disse imperiosa. Não disse mais nada, seu marido esperava por ela com o carro ligado.

— Eu vou voltar porque tenho vontade, não por causa dela, que nem é minha professora — rebateu Adriana subindo as escadas.

Após a aula, nós é que tínhamos que cozinhar alguma coisa para todos, geralmente uma sopinha. Nas primeiras tentativas, se minha irmã não prestava atenção no que eu estava fazendo, colocava pouca água na panela ou deixava a massa cozinhar demais.

— Você é cabeçuda — comentava desanimada. — Com as mãos só sabe segurar a caneta.

Ela era hábil também com as despesas. No verdureiro, comprava um quilo de batatas e pedia cenouras e cebola de brinde para nossas sopas de verduras. No açougue, duzentos gramas de carne moída e retalhos para o cão inexistente. Colocávamos estes também, mas para nós. Hoje, não como nada que possa se assemelhar à nossa dieta daquele período. A carne cozida me faz vomitar só de sentir o cheiro.

— Marque, que o papai acerta no final do mês — prometia Adriana a todos os comerciantes. Assim tão pronta e esperta, com o saco já na mão, ela os desarmava. Atrás dela, eu era só uma presença muda de reforço. O embaraço acompanhava-me na rua por causa dos olhares sobre nós, enquanto nos servíamos em silêncio.

Minha irmã também era frágil. Refugiava-se no térreo, na casa da viúva. Em troca de companhia e de algum serviço, recebia afeto e comida. Levava consigo Giuseppe; "senão esse aqui morre", escapou-lhe uma noite que subiu com ele meio adormecido.

A mãe tinha perdido a fome e não pensava na nossa. Voltando do turno na olaria, o pai trazia, às vezes, um pouco de mortadela ou anchovas salgadas, caso a mercearia ainda estivesse aberta. De resto, contentava-se com as massas que nós mesmas preparávamos. Não dizia nada para a mulher.

Certas tardes ela sentava, os braços inertes sobre a mesa da cozinha. Não tinha ninguém naquelas horas. Eu cortava o pão, untava-o com azeite e movia o prato em sua direção, mas não muito perto. Sentando-me de frente para ela, começava a comer. Empurrava um pouco mais o prato, só com o dedo. Se não se sentisse forçada, poderia até pegar uma fatia e mordê-la, quase como um reflexo involuntário. Mastigava lentamente, como quem não está habituado.

— Falta sal — disse, em um daqueles momentos.

— Desculpe, me esqueci. — Passei-lhe o saleiro.

— Não, vai bem sem também. — E terminou a fatia que segurava nas mãos.

Seguiram-se outros dias de silêncio. De novo, tinha engolido a voz.

Um domingo, viu-me às voltas com uma cebola para o caldo de legumes.

— Vocês comem sempre a sopinha — desatou. — Não sabe fazer o molho?

— Não.

— Coloque o óleo e refogue. — Esperamos até a cebola murchar. Ela mesma abriu o vidro de molho que tínhamos preparado em agosto e eu o despejei na frigideira. Instruiu-me acerca da altura da chama e das ervas aromáticas que seriam usadas.

— Eu escorro a massa — disse depois. — Você não está habituada e com certeza vai deixá-la cozinhando tempo demais.

Servi *rigatoni al pomodoro* a toda a família, que parecia contente por comer uma refeição normal, embora ninguém dissesse nada. Ela aceitou três ou quatro *rigatoni* sem molho. Sentou-se com os outros, como quando Vincenzo era vivo, mas colocou o prato no colo sob a mesa e comeu assim, com a cabeça baixa.

# 22

**O MERCEDES COR DE CREME ESTACIONOU NO CEN-**tro da praça e logo foi cercado por crianças incrédulas. Dois homens desceram, um de bigode e o outro com chapéu branco de abas largas. Da janela, eu os vi perguntarem alguma coisa a um menino, que apontou na minha direção. Pareciam ciganos e tive um pouco de medo, mas não tocaram a campainha. Apoiaram-se no capô e esperaram, fumando. De tempos em tempos, eu os olhava do alto sem que me vissem.

Quando o pai apareceu lá no fundo da praça, voltando a pé da olaria, jogaram as bitucas no asfalto e caminharam ao encontro dele como se o reconhecessem. Ele diminuiu o passo e, pelos gestos, entendi que, no início, quem falava era o de bigode. Talvez pedisse para subir. Abri uma persiana para escutar.

— Na minha casa, cigano não entra. Digam logo o que querem.

Um barulho de motor cobriu a resposta, em seguida ainda a voz do pai, em um tom mais forte.

— Se meu filho tinha dívidas com vocês, eu não sei e não quero saber. Vão procurar o dinheiro de vocês lá onde ele está agora.

O mais próximo tocou-lhe um braço como para acalmá-lo. Ele o empurrou e o chapéu branco dele voou, girando no ar. Adriana agora estava comigo na janela, e seguramos a respiração.

Não aconteceu nada. Os dois subiram no carro e partiram, e nosso pai entrou, batendo a porta.

Alguns dias depois, nos seguiram na saída da escola, mas não eram os mesmos; o carro, que vimos rapidamente, pareceu-nos muito menor e amassado em vários pontos. Adriana pegou minha mão e ficamos próximas a algumas de suas amigas de classe. Dirigiam em baixa velocidade enquanto caminhávamos na calçada, nos ultrapassaram e pararam para nos esperar. Mais à frente, depois da praça, ficamos sozinhas: as colegas de Adriana tinham ido em outra direção. O passageiro desceu do carro e veio ao nosso encontro com um pequeno sorriso. Minha irmã me apertou com a mão suada, o sinal combinado para darmos meia-volta. Ela era a mais apavorada dessa vez. Tinha escutado histórias de ciganos que roubavam crianças. Voltamos rápido para a escola, mas na esquina da tabacaria quase acabamos abraçando quem nos cercava.

— Mas por que vocês fogem? Não quero incomodar, quero só fazer uma pergunta!

Podia ter uns vinte anos e de perto parecia mais atraente do que ameaçador. Adriana também se sentiu segura, largou minha mão e, apontando com o queixo, deixou-o falar. Talvez ele se sentisse um pouco sem graça com duas meninas. Sua gentileza era um pouco forçada. Por acaso, Vincenzo tinha deixado alguma coisa para eles, seus amigos? E o que nós tínhamos com isso?

— Mas nosso irmão não sabia que ia morrer. O que deveria ter deixado?

O modo despachado de Adriana o confundiu. Ele falou do dinheiro que Vincenzo pediu emprestado para comprar a lambreta. Porém, ele já tinha o dinheiro para lhes devolver, pois foi o que lhes disse poucos dias antes da desgraça. Nós não poderíamos procurar?

— Imagine se ele levava dinheiro para casa! Fez uma caixa de madeira em algum lugar ao longo do rio e guardava suas coisas lá — mentiu a espertalhona. Em seguida, continuou a despistá-los com indícios vagos do esconderijo. Desse modo, nós nos liberamos dos credores de Vincenzo.

Após o almoço, eu a vi com uma velha caixa de sapatos embaixo do braço. Sussurrou para que eu descesse com ela à garagem.

— O anel que foi com ele estava aqui — me disse enquanto descíamos as escadas. — Tinha também outras coisas, agora devemos olhar bem.

Fechamo-nos lá dentro e eu levantei a tampa do mundo secreto de nosso irmão. Um molho de chaves que não eram as de casa. Um canivete automático novo em folha. A carteira com a carta de identidade, cuja foto parecia a de um procurado. Uma meia só, com alguma coisa dentro. Enfiei a mão, cuidadosa, e reconheci pelo tato o conteúdo. Diante do rosto pálido de Adriana, extraí um rolo de notas amarrado com um elástico. Havia de todos os valores, de dez mil a cem mil liras. Era isso o que os ciganos queriam. Como saber se era mesmo dinheiro deles, ou se Vincenzo o havia recebido por seus trabalhos eventuais e separado para comprar a lambreta?

Adriana tocou com as pontas dos dedos a consistência do papel moeda. Deveria ser a primeira vez que tocava um valor diferente do pobre metal das moedas que raras vezes lhe sobravam. Estava encantada.

— Quem é esse velho? — perguntou, acariciando a barba de Leonardo da Vinci em uma nota de cinquenta mil liras. Falava baixinho, como se alguém pudesse estar escondido nas tralhas ao nosso redor.

— E agora? — perguntei a ela e a mim. — É muito dinheiro, não podemos ficar com ele.

— Mas o que você está falando? Dinheiro nunca é demais. — E o segurou com as mãos, fechando os dedos em uma espécie de convulsão.

Sua excitação me surpreendia. A avidez dos olhos nas notas. Eu não conhecia a fome, e morava como uma estranha entre esfomeados. O privilégio que portava comigo da vida de antes me distinguia, isolava-me na família. Eu era a *devolvida*. Falava outra língua e não sabia mais a quem eu pertencia. Invejava minhas colegas de classe e até Adriana pela certeza que tinham em relação a suas mães.

Minha irmã começou a imaginar tudo o que poderíamos comprar. Naquele lugar escuro, o pé de meia iluminava seu rosto, acendia as pupilas com um apetite diferente. Sob a incandescência da lâmpada pendurada na laje da garagem, tive de dissuadi-la enquanto sonhava muito grande: a televisão, um túmulo de pedra brilhante para Vincenzo, um carro novo para nosso pai.

— Mas não há o suficiente — eu lhe disse, tocando sua testa como se tivesse febre.

— Nunca consigo entender você — impacientou-se. — Às vezes é muito, e agora não é o suficiente.

Eu a vi sobressaltar-se por causa de um leve barulho a seu lado, como se alguma coisa estivesse se mexendo sob um papelão. Ela o empurrou com os pés, e um fino rabo apareceu atrás de uma caixa de pimentões secos.

— Sabia — sussurrou. — Não podemos deixar aqui, senão os ratos vão comer. Vamos levar o dinheiro lá para cima, e temos de ficar atentas porque se Sergio o encontrar será o fim.

O homem do funeral chegou à tardinha. Naqueles tempos, era esperado um contato por parte do chefe da família. Sem demorar em formalidades, o *carrega-mortos*, como todos o chamavam, quis receber pelo menos a metade da soma devida pelo enterro de Vincenzo. Nosso pai lhe disse para ter paciência, que a olaria corria o risco de falir e os proprietários estavam atrasando o pagamento dos funcionários.

— O primeiro dinheiro que eu receber será seu, juro pelo meu filho — disse, mas o outro lhe concedeu apenas uma semana.

Eu e minha irmã escutamos cabisbaixas, evitando trocar olhares. Pensávamos no dia seguinte, nas despesas que havíamos programado. Saímos no horário em que as lojas abrem à tarde, castigadas por uma chuva de neve cortante. A urgência de um casacão para Adriana logo nos conduziu à antiga loja de roupas da cidade, administrada por uma senhora que parecia uma batata com cabeça. Seus braços, que caíam ao longo do corpo, estavam quase imóveis, e suas curtas e gordinhas mãos se mexiam somente em caso de necessidade. O ambiente, contudo, era bem iluminado e cheirava a tecidos velhos e empoeirados. Um calor agradável de seu aquecedor de querosene nos recebeu; ela, ao contrário, nos olhava com desconfiança.

— Vocês vieram comprar sozinhas? Ah, sei, vocês são aquelas cujo irmão morreu, então sua mãe não vem com vocês mesmo. Pobrezinha, sempre no cemitério, ninguém esperava isso dela — disse abertamente em seguida. — Mas vocês têm dinheiro?

Adriana mostrou e quase esfregou uma nota de cinquenta mil liras no nariz dela, mas depois a colocou no bolso dobrada. Escolhemos com calma um casacão de lã verde-floresta, de tamanho um pouco maior.

— Vai me servir até o fim do ensino médio — disse minha irmã à senhora enquanto procurava ver no espelho a grande prega atrás do casaco. O velho casaquinho ela o deixou lá, do avesso, sobre o balcão, com o forro descosturado.

Pouco mais tarde, ela caminhava com os pés doloridos dentro dos mocassins novos. Estávamos cheias de queijos, lanchinhos e dúvidas sobre como justificar as despesas feitas naquela tarde. Tínhamos encontrado uma carteira com notas dentro, era o que iríamos dizer.

— Não tenho vontade de esconder a comida lá embaixo, vamos comer todos juntos — afirmou Adriana.

Ninguém nos perguntou nada. A mãe estava sempre deitada e o pai distraído com as dívidas. Os irmãos que ficaram limitaram-se a se empanturrar de pão e Nutella que colocamos em uma bandeja. Eu mesma dei algumas colheradas a Giuseppe.

Compramos tudo o que quisemos durante uma semana, mas se tratava sempre de pequenas despesas, sobretudo doces. Na noite em que o homem da cobrança voltou, chamamos nosso pai no quarto e, quando decidiu vir até nós, pusemos o dinheiro em suas mãos. Assim, o próprio Vincenzo pagou as despesas de seu funeral.

# 23

**FALTAVA UMA SEMANA PARA AS FESTIVIDADES.**
Na hora do almoço, havia sobre a mesa descoberta duas caixas de laranja, nunca vistas naquela casa. Ao lado, uma caixa de papelão cheia de latinhas, algumas de atum e a maior parte de carne. Uma visita de condolências tardia deve ter vindo pela manhã, enquanto eu e Adriana estávamos na escola. O perfume das frutas cítricas se dispersava intermitentemente atrás de um outro, leve e incerto, algo que parecia um sonho.

Giuseppe estava sentado em um canto e choramingava, pois tinha mordido a casca de uma fruta de gosto amargo. De seu quarto, a mãe disse para abrirmos uma latinha e ficarmos atentas ao menino, dizendo que ficaria deitada por causa da dor de cabeça e que não cozinharia. Há poucos dias, tinha retomado os afazeres de casa, mas vez ou outra ia de repente para a cama e ali ficava durante horas, com os olhos abertos e vazios.

Descasquei a laranja de Giuseppe, começando pelos buracos que seus dentinhos tinham deixado, e lhe ofereci um gomo. Piscava e torcia os lábios por causa do amargo do suco, até que, ao se habituar e sentir também o seu doce, quis mais. Adriana abriu a embalagem de carne e nós a comemos diretamente da lata e nos alternávamos pegando a comida às colheradas. Em seguida, desceu com o pequeno para a casa da viúva e eu fiquei sozinha. No quarto do casal, silêncio.

Eu não tinha tarefas de casa para fazer naquela tarde, e andava de um lado para o outro entediada e inquieta. Todos aqueles quilos de frutas coloridas sobre a mesa. Minha mãe do mar era obcecada por vitamina C. Quando eu fazia aula de balé, dava-me sempre duas laranjas descascadas para comer no carro durante o trajeto. Faziam bem antes da atividade física, dizia. Fui direto para o quartinho, colhida por um pensamento. Encontrei a bolsa cheia de sapatos misturados que trouxe em agosto e comecei a mexer dentro dela. Lá no fundo, as mãos foram direto para as sapatilhas, e fui para a cozinha calçá-las, sob a saia xadrez. As fitas de cetim estavam um pouco sujas e desfiadas, os dedões do pé logo começaram a doer, como acontecia sempre depois da pausa no verão. Nas pernas, um losango de luz fria, vinda da janela. Toquei o peito do pé, senti os músculos da batata da perna destreinados, embora ainda estivessem lá. Com as mãos apoiadas nas costas de uma cadeira, tentei ficar nas pontas dos pés, na quinta posição, e executei um *battement tendu* fechando com um *plié*.

— Eu já falei que você deve voltar para a cidade para fazer o ensino médio e todas essas coisas bonitas — era a mãe observando da porta do quarto. Abriu as mãos, quase em um gesto de admiração. — Hoje de manhã a Adalgisa veio e falamos de você. Mas eu e seu pai pensamos nisso desde quando você foi devolvida; aquela sabichona da Perilli poderia ter ficado calada. É um desperdício, você não deveria estar aqui. Em outubro do ano que vem, você precisa ir para uma escola boa. Adalgisa está de acordo.

Aquele perfume que senti, além do das laranjas, não tinha sido um sonho.

— Então eles vão me pegar de volta... — tentei, com a voz que consegui naquele instante. Eu me sentei, sentia as pernas trêmulas, mas não era por causa dos exercícios.

— Isso não, mas no final do verão ela vai encontrar uma acomodação para você na cidade.

— Por que ela veio enquanto eu não estava? Não podia ter me esperado?

— A senhora que a trouxe estava com pressa. Adalgisa soube da morte do meu filho somente agora e queria fazer uma visita.

— Como agora, se meu pai estava no funeral?

— Porque ele não contou nada a ela, o seu tio — corrigiu-me.

— Estranho. Como ela está?

— Mais ou menos — respondeu com pressa, girando o corpo. — Viu quanta coisa ela mandou para nós? É hora de pôr tudo no lugar. — E começou a colocar as latinhas em um armário suspenso. Desse modo, fechou-se em seu habitual silêncio acerca do assunto. Minhas perguntas nunca a alcançavam. Falava sozinha em voz baixa, como de costume desde quando se recuperou da morte de Vincenzo. Perguntou às latinhas o que continham, à prateleira o quanto era alta e que ela não a alcançava, e ao pobre filho onde ele estava naquele momento.

Fiquei na cadeira sem poder ajudá-la. Uma raiva feroz começava a fervilhar meu estômago. No início, tirou-me as forças, sorvia o sangue de cada veia. Tirei as sapatilhas como uma velha cansada. Alisei o cetim por um instante e o cheirei, procurando o odor despreocupado dos pés de antigamente. De repente, como por causa de uma injeção de efeito instantâneo, uma energia destrutiva me invadiu. Estiquei minha mão direita até uma laranja, o primeiro objeto disponível do mundo. Estava mole em um ponto, podre. Afundei ali meus dedos selvagens, até o centro e mais além, na direção da casca do outro lado. A mão tremia, fazendo com que a fruta, com sua cor de sol distante, também tremesse. O suco escorria pelo pulso, molhava a malha. Não sei depois como eu a joguei às cegas contra a parede; passou a alguns centímetros da cabeça dela. Não houve tempo de voltar atrás: eu tinha arremessado a caixa que estava sobre a mesa e as frutas caíam e rolavam no chão em todas as direções.

— Você endoideceu? O que você tem?

— Não sou um pacote, vocês têm de parar de me mudar de um lugar para o outro. Quero ver minha mãe. Me diga agora onde ela está que vou encontrá-la sozinha. — De pé, eu tremia.

— Não sei onde ela está; não está na casa de antes.

Eu me aproximei, prendendo-a entre mim e a pia. Peguei-a pelas alças do vestido preto e a sacudi sem cautela.

— Então vou encontrar um juiz e denunciar todos vocês. Vou contar a ele que vocês ficam trocando de filha como se fosse um brinquedo.

Saí de casa e fiquei fora; logo a noite caiu e me gelou. Do canto mais recôndito da praça, eu via as janelas se iluminarem e, atrás delas, o vaivém das silhuetas femininas ocupadas com os afazeres domésticos.

Eram, aos meus olhos, as mães normais, que deram à luz os filhos e os mantinham consigo. Às cinco da tarde começavam os preparativos para o jantar, cozimentos demorados, elaborados, como a estação exigia.

Com o tempo, perdi também a ideia confusa de normalidade e, hoje, ignoro de fato qual lugar seja o de uma mãe. Isso me falta, do mesmo modo que pode faltar saúde, proteção, certezas. É um vazio persistente, que conheço, mas não supero. Olhar para o nosso interior dá vertigem. É uma paisagem desoladora que à noite tira o sono e fabrica pesadelos no pouco que deixa. A mãe que nunca perdi é a mãe dos meus medos.

Naquela noite, foi Adriana quem veio me procurar. Dois lampiões tinham queimado e a escuridão da praça a assustava. Manteve-se próxima ao portão e me chamava no escuro. Era doloroso resistir às suas invocações de gato perdido, mas eu tentava. Eu a entrevia, ela também tinha descido sem o casacão, batia os pés para se esquentar e friccionava os braços com as mãos. Vai, entra, eu lhe pedia em pensamento. Ou então, mais secretamente: espere-me, espere até que eu esteja pronta. Ela me escutou e respondeu em voz alta.

— Se você não vier, não vou sair daqui e ficarei doente por sua causa. O nariz já está escorrendo.

Esperei um pouco, antes de ceder. Depois, coloquei-me sob uma luz que estava funcionando e ela me viu. Correu para me abraçar.

— Essa louca... — disse, esfregando-me as costas geladas de frio. — Não pensa em mim quando tem ideia de fugir?

Não tinha fome, fui logo para a cama. Pela porta fechada, escutava as vozes na cozinha. Depois, alguém entrou no quarto e fingi dormir. Era a mãe, eu a reconheci pelo jeito de arrastar os chinelos. Deve ter percebido que eu estava acordada.

— Coloque isso no peito, se não vai ter febre. — E puxou as cobertas.

Tinha esquentado um tijolo no forno e o enrolou em um pano de prato para que não me queimasse. Um bem-estar lento difundiu-se sob o peso, até o coração. Batia com mais calma.

Deve ter saído em silêncio, enquanto eu caía em um sono breve e profundo. Não tive febre.

# 24

**PERCEBI QUE ERA NATAL POR CAUSA DAS FÉRIAS** escolares e dos sinos que badalavam sem parar à meia-noite. Eu estava na cama quando os ouvi. Não fomos à missa e não houve ceia com peixe; comemos sopa de pão com cebola, pimenta e pimentão, e gostei mais do que as enguias dos anos anteriores. Eu sempre as achei viscosas, mas era obrigada a comer um pouco por respeito à tradição, pois era assim que minha mãe queria.

Na manhã seguinte, as vizinhas se lembraram do luto recente e subiram, cada qual trazendo uma coisa para o almoço da festa: sopa de alcachofra e ovos batidos, timbale com bolinhos de carne, peru à moda de Canzano, cozido mas ainda gelatinoso. A olaria decidiu pagar os salários atrasados de seus funcionários só na noite do dia 24, de modo que nosso pai passou na mercearia para pegar dois *torroni*. Quando a carne acabou, nós os partimos em pedaços e comemos, permanecendo sentados à mesa mais tempo do que de costume. Adriana era a mais gulosa e barulhenta no mastigar. De repente, deu um grito e ficou de pé segurando a mandíbula. Eu a segui até o quarto, para onde correu para chorar.

Abriu a boca e colocou o dedo indicador em um molar de leite meio escurecido. Uma lasca clara, talvez de amêndoa, entrou no buraco central, fazendo reacender a dor que ia e vinha há tempos. Para tirar o fragmento do doce, Adriana remexeu na cárie com um palito que tinha no bolso, depois colocou a extremidade no meu nariz.

— Veja como fede. Esse desgraçado não quer cair, tente tirar, não consigo sozinha.

Eu tinha medo de a machucar, mas ela insistiu. O dente estava preso na gengiva de um lado só, mas se mexia pouco, pois ainda não era chegada sua hora. Tentei empurrá-lo com os dedos e nada aconteceu. Nem com uma linha amarrada em volta; quando o puxei, o laço veio vazio.

— Vai precisar de uma ferramenta para tirar.

Procuramos na cozinha. Os outros tinham sumido e a mesa tinha sido tirada. Apenas a pilha de pratos sujos na pia nos esperava. Abri umas gavetas sem uma ideia precisa, examinando os objetos mais disparatados. A faca não, me assustava. O garfo. Aproximamo-nos da janela, na direção do sol do inverno que já se punha. Adriana me ofereceu sua arcada inferior. Coloquei um dos dentes do garfo onde o molar parecia estar desgrudado. Ela estava imóvel e quieta, os braços levantados no ar. Quando enfiei a ponta mais fundo, olhei nos olhos dela para ver se sentia dor. Suas pupilas se dilataram e ela ficou parada. Prendendo a respiração, segurei no cabo do garfo e dei um empurrão, de repente. O dente pulou direto para a garganta, enquanto uma golfada de sangue irrompia da gengiva. Entre tossidas e engasgos, Adriana se libertou daquele corpo estranho e cuspiu o dente na palma da minha mão, acompanhado de um fio vermelho. Engoliu a saliva e tapou a boca com um pano de prato.

Durante a noite, chorei no travesseiro. Quem iria lhe tirar os dentes de leite depois que eu voltasse para a cidade? Ela ouviu e desceu. Contei a ela do encontro das minhas duas mães, uma semana antes, e da nova mudança que tinham decidido para mim.

— Então você vai embora? — perguntou Adriana, espantada no quase escuro.

— Não agora. No início do ensino médio, no mês de setembro.

— Não era o que você queria? — perguntou após uma pausa. Senti um leve sinal de reprovação em seu tom, repentinamente adulto, embora afetuoso. — Trouxeram você para cá à força, e você não gosta daqui. Desde que foi devolvida, você chora toda noite, se revira sob as cobertas, custa a dormir. E não está contente de voltar para a cidade?

— Não tenho mais certeza de nada, é tudo confuso. Ninguém me diz para onde vou. Minha mãe achará um lugar, talvez um pensionato.

— Mas ela está louca? Nos pensionatos são as freiras que mandam, e elas são terríveis, controlam até suas calcinhas.

— O que você sabe a respeito?

— Uma menina que mora atrás da padaria foi para um. Conta cada história!

— Não é tanto com as freiras que me preocupo — murmurei tocando-lhe os cabelos. — Não vou mais ver você. — E voltei a soluçar.

Ficamos um pouco desesperadas as duas; depois, Adriana ficou indignada e deu um pulo para se sentar na cama.

— Mas estas duas mandam você de um lugar para o outro quando lhes dá na telha. Agora chega, você tem de se rebelar — incitou-me, sacudindo-me pelos ombros.

— Como?

— Não sei dizer nesse exato instante, preciso pensar. Mas vamos jurar que não vamos mais nos separar. Se você for, vou junto.

Cruzou os dedos indicadores e os beijou dos dois lados, virando a mão com um movimento rápido. Na escuridão, eu conseguia vê-la. Jurei como ela.

Eu a abracei e ela adormeceu naquele instante, as costas contra meu peito, as vértebras como as contas de um terço. Fiquei imóvel quando não conseguiu segurar o xixi, grudada naquele calor que me molhava a barriga. Sobressaltava-se de vez em quando, chegando até a rir por um momento, sonhando sabe-se lá com o quê. Em outras noites, seu corpo abandonado no sono me acalmava, mas não naquela vez. As angústias não diziam respeito a mim e a meu futuro incerto. Eu as transferi para Adriana e Giuseppe. Dessa forma, eu as domava. Pouco depois da promessa, já não acreditava mais que ficaríamos juntas. Eu deixaria a cidadezinha sozinha em setembro? Como os dois fariam sem mim? Ela talvez se virasse, mas e o pequeno? Ainda engatinhava e nunca o tinha visto chamar papai ou mamãe. Para ajudá-lo, eu marcava as sílabas devagar e exagerava no movimento dos lábios, mas sua atenção perdia-se em outro lugar. Não estava pronto.

No instituto onde vive hoje, ele fala com um educador, sempre o mesmo, e quando este sai de férias, se cala. Assim me dizem.

Em todas as visitas, eu lhe levo blocos de folhas e lápis com todos os tipos de pontas; ele as vê e toca as pontas com o indicador, uma a uma.

— São boas — me diz. E depois sério: — Aqui estão as obras desse mês.

Em geral, reproduz suas mãos que desenham a si mesmas, a direita no trabalho e a esquerda segurando o papel. E também animais correndo, cachorros ou cavalos a galope, capturados no instante em que nenhuma das patas toca a terra.

Giuseppe foi o único dos irmãos a terminar o ensino fundamental. Depois, passou alguns anos em casa, sempre mudo e à parte, distante de tudo o que acontecia. Onde está hoje é um lugar melhor para ele. Era um convento, antes; no jardim sempre ensolarado, os internos passam muitas horas do dia, se a estação permitir.

Em geral, Adriana é quem me acompanha, preenchendo a hora com conversa. Quando vou sozinha, nós nos sentamos em um banco e ficamos em silêncio por muito tempo. Às vezes, Giuseppe me presenteia com uma folha, caso caia perto de nós.

Na primavera, eu lhe trago uma caixinha de morangos, que lavamos na fonte perto da cerca viva. Em seguida, ele os come, depois de levantar um a um na luz diante dos olhos, segurando-os pela haste. Observa as mínimas variações na forma, nas cores. Suspeito que ele tente contar todos aqueles pequenos grãos que pontuam a superfície da fruta.

# 25

**O INVERNO FOI LONGO E RIGOROSO, E EM CASA** ficávamos sempre com muito frio. Pela manhã, cedinho, eu ficava estudando debaixo das cobertas — a viúva do térreo tinha me dado um abajur que coloquei ao lado da cama —, mas, ainda assim, meus dedos enrijecidos tinham dificuldade para virar as páginas. Em março, venci um concurso escolar com um trabalho sobre a comunidade europeia, e a professora Perilli me entregou uma caderneta de poupança em meu nome, oferecida pelo Ministério da Educação. Depois, dirigiu-se à classe:

— Vocês podem se orgulhar de sua colega — disse, encarando aqueles que costumavam zombar de mim. — Só vinte alunos no país inteiro receberam esse prêmio.

— E um deles é a Devolvida — irrompeu, como previsível, uma voz de escárnio no fundo da sala.

Na saída da escola, não sei exatamente como, minha irmã já sabia da novidade. Assim que chegamos a casa, ela correu na frente para dar a notícia para a família. Ela mesma mostrou a caderneta para os pais, toda entusiasmada. Era vermelha e, no interior, na coluna dos depósitos, havia uma anotação à mão: trinta mil.

— Será que você já pode pegar o dinheiro no banco? — perguntou a mãe ao ler o montante. Depois, fechou a caderneta e a colocou sobre a mesa, com os olhos ainda fixos na capa vermelha.

— Ninguém vai colocar a mão nesse dinheiro — respondeu o pai, surpreendentemente. — É dela, ela ganhou com a própria cabeça — acrescentou depois de uma pausa.

— Tirou dez também em matemática. Não sei como, mas ela se diverte resolvendo os problemas — Adriana contou, caminhando em volta da mesa.

Eu gostava das aulas de geometria espacial daquele ano. As figuras complexas, pirâmides sobrepostas a cubos, cilindros com buracos em forma de cone em uma das bases. Eu me divertia de verdade calculando superfícies e volumes, acrescentando-os e subtraindo-os para calcular o total das figuras estranhas.

No entanto, depois de um tempo, pensei que as minhas excelentes notas estavam me projetando diretamente para o futuro que as duas mães tinham desenhado para mim às minhas costas. E eu ainda nem sabia se queria seguir na direção que elas escolheram. No inverno seguinte, eu passaria a frequentar o ensino médio na cidade, mas onde eu comeria? Onde dormiria? Patrizia e eu poderíamos nos ver à tarde? Naquele momento, eu preferia ficar ali naquela incerteza, com Adriana e Giuseppe, com os pais que tinham me pegado de novo, e até mesmo com Sergio e o outro.

A professora Perilli me devolveu a lição de latim com a nota nove na parte superior da folha de almaço e eu, depois de um instante de alegria, fiquei perdida olhando para o papel sobre a carteira. Minha mãe, sim, teria ficado contente se pudesse ver minha nota. De longe, ela se preocupava mais comigo do que com a própria doença, e eu não conseguia deixar de acreditar nisso. No entanto, nas minhas horas de tristeza, sentia-me abandonada, como se eu não estivesse em seus pensamentos. E nessas horas eu sentia que não tinha mais razão para existir no mundo. Repetia devagar a palavra "mãe" umas cem vezes, até perder todo o sentido e se tornar apenas um movimento dos lábios. Eu fiquei órfã de duas mães vivas. Uma me entregou quando eu ainda tinha seu leite na língua; a outra me devolveu quando eu tinha treze anos. Eu era filha de separações, de laços de parentesco falsos ou omitidos, de distâncias. Não sabia mais de quem eu provinha. No fundo, até hoje não sei.

Meu aniversário aconteceu na primavera, mas passou despercebido. Os pais o tinham esquecido por causa do tempo que passaram sem mim, e Adriana nunca soube a data do meu nascimento. Se eu tivesse dito a ela, com certeza teria me felicitado a seu modo, dando pulinhos e puxando minha orelha quatorze vezes. Mas preferi manter segredo e me parabenizei sozinha. À tarde, subi até a praça e comprei um *diplomático*\* na única doceria da cidade. Pedi também uma velinha pequena de aniversário. A senhora olhou-me com estranheza e não me cobrou. Sendo assim, não posso dizer que não ganhei um presente.

Na garagem, logo encontrei os fósforos, já sabia onde estavam. Tranquei-me lá dentro e, na escassa luz que penetrava por uma espécie de fenda, abri o embrulho do doce e o coloquei, com o papel virado para baixo, sobre a superfície empoeirada de um móvel velho. Coloquei a velinha no centro do doce e acendi o pavio. Na penumbra quase negra, faltavam pontos de referência e podia pensar que estava diante de um bolo de verdade, de dimensões normais. Fiquei olhando a chama sacudir, talvez por causa da minha respiração bem próxima. Naquela hora, não pensava em nada de específico, mas tinha dentro de mim, além dos medos, uma força luminosa como aquele pequeno fogo. A cera derretida começou a escorrer e a colar na vela, descendo até a cobertura de açúcar de confeiteiro. Então, apaguei com um sopro durante minhas palmas solitárias e cantarolei a música de parabéns em voz baixa na escuridão. O *diplomático* estava fresco, com a cobertura crocante, e comi até a última migalha. Depois, voltei para cima.

À noite subiu um homem até a casa para nos convidar para irmos ao campo no dia seguinte, domingo. Já era tarde e ele se sentou com o pai na cozinha. Ele parecia ser um pirata, por causa de um tapa-olho do lado direito, amarrado por um fio que dava volta na cabeça quase careca, só com alguns pequenos cachos grisalhos. Mantinha pendurado nos lábios um charuto apagado, com a ponta preta, indicando que já havia sido aceso antes. Não o tirava dali, por isso falava torcendo a

---

\* Doce em forma retangular feito com massa de pão de ló, ricota e creme de confeiteiro com uma leve cobertura de massa folhada. (N.do T.)

boca para o lado. Eu estava ao mesmo tempo curiosa e um pouco assustada com seu aspecto.

— A essa hora sua esposa já está dormindo — ele dizia. — Não se recuperou da desgraça... é compreensível. Amanhã você vai ver, um pouco de ar fresco vai fazer bem. E a avó Carmela não se esquece da afilhada, quer revê-la. Ela me deu isso para você colocar embaixo do colchão, na altura em que sua mulher deita a coxa.

Eu consegui ver o objeto de soslaio, parecia um embrulho de pano com alguma coisa dentro. Nosso pai colocou-o no bolso e se levantou para pegar uma garrafa de vinho. Eu e Adriana estávamos ali por perto.

— E você é filha de quem? — o pirata dirigiu-se a mim quando viu que havia uma cara nova ali.

— É minha irmã — Adriana logo se intrometeu. — Eles a deram para uma prima, ainda criança. Mas agora nós a pegamos de volta.

— Ah, sim. Fiquei sabendo. Então amanhã venha você também, não falta nada lá em casa — ele me encorajou, olhando com um olho só.

Da cama de cima do beliche, Adriana me contou a história do homem com o tapa-olho. Era compadre dos pais e vivia em uma região toda cultivada. Quando pequeno, uma pedrinha lançada a toda velocidade por um trator atingiu seu olho direito e o cegou. Por causa do vício da bituca sempre na boca, era conhecido por todos como o Meio-charuto, mas ai se ele escutasse alguém o chamando assim.

— E qual é o verdadeiro nome dele? — perguntei.

— Não me lembro, mas na roça você tem de chamar qualquer adulto de tio, mesmo que não seja sobrinha dele. Lá as coisas são assim.

— E o que ele trouxe para ela? — Eu me pus um pouco para fora para indicar com o corpo o quarto dos pais.

— Acho que deve ter sido um bentinho. A avó dele é bem velha, benzedeira, um tipo de bruxa. As pessoas vão lá pedir conselhos e remédios. Quando eu tive tosse comprida, ela me mandou um xarope que era muito ruim e que eu cuspia sempre. Dizem que para os vermes ela usa a ciência, mas, meu Deus, como é amarga!

Descobri só anos mais tarde que o xarope de Adriana era feito da planta do absinto, cujas propriedades curativas eram conhecidas pela tal velha curandeira do campo.

Partimos na manhã seguinte, com o carro um pouco relutante. Os irmãos não foram conosco, disseram que lá tinha sempre de trabalhar e eles não estavam com vontade. Adriana não ficava enjoada quando andava de carro, mas naquele dia começou a se queixar de náusea assim que saímos da cidade, talvez tivesse bebido pouco leite antes de sair. Paramos a tempo para que ela colocasse para fora todo o café da manhã na margem do campo que tinha drenado o sangue de Vincenzo. Ali ficava o lugar onde havia terminado seu voo.

Eu e minha irmã ficamos juntas enquanto ela vomitava. A mãe não desceu do carro, fechou o vidro e se virou para o outro lado, com as mãos no rosto. Pelos movimentos dos ombros lá dentro, vi que soluçava.

# 26

**QUANDO CHEGAMOS ÀQUELA CASA SIMPLES,** fomos acolhidos pelo perfume das acácias floridas e por uma família numerosa, de muitas gerações. Estavam todos no quintal, ocupados com várias atividades. Meio-charuto amolava uma foice, batendo com um grande martelo, em ritmo regular, ao longo da linha de corte. Ele parecia contente de verdade em nos ver. Talvez tivesse falado sobre mim para os outros, pois ninguém se surpreendeu com minha presença. Ainda assim, eles me olhavam com curiosidade, sobretudo os filhos. Dois meninos acompanhavam as ovelhas no pasto, eles as empurravam para a frente com gritos e assobios e pararam para nos cumprimentar. A mulher deixou o balde de grãos para as galinhas e entrou para pegar alguma coisa para nos oferecer. Os homens beberam licor de anis, para nós mulheres e crianças ela preparou uma bebida de cerejas, conservadas desde o ano anterior.

— Levem umas garrafas para vocês quando forem embora — ela nos disse e, depois, mais devagar, dirigiu-se à nossa mãe: — A vovó Carmela está à sua espera, você sabe onde ela está.

Tirou docemente Giuseppe de seus braços e, com a cabeça, indicou a direção de um carvalho com séculos de idade ao lado da casa. Segui a mãe naquela direção, sem entender o que estava acontecendo. Eu só a vi a poucos passos de distância, e parei na hora. Estava sentada em uma cadeira alta, que tinha um encosto grosseiramente entalhado, como um trono rústico ao ar livre. Vestia um avental comprido abotoado na frente, da cor da sombra que a cobria. Fiquei ali a olhá-la, encantada com sua imponência mágica. A pele do rosto esturricada pelo sol de cem verões confundia-se com o caule da árvore atrás dela, tinham a mesma imobilidade, a mesma textura enrugada. Aos meus olhos, ambos pareciam eternos, a velha e o carvalho.

Disseram-me que uma vez ela estivera com a morte... Tinha ficado com ela muitos dias, mas não pôde suportar a solidão e voltou.

— Comadre Carme... — chamou a mãe com a voz já embargada.

— Eu sei de tudo, minha filha, sei como você se sente — disse ela, convidando a mãe para se juntar a ela com um pequeno gesto com o braço. A cada movimento seu eu ouvia estalidos, barulho de água caindo, puxões de articulações enferrujadas.

A mãe se ajoelhou a seu lado em prantos e colocou a testa em seu colo com o rosto virado para cima. Imediatamente, uma mão grande e velha a cobriu.

— Para esse mal não tem remédio nem cura — a velha confessou sem culpa. Levantou a mão por uns instantes, observando-a em sua impotência, depois a abaixou para oferecer aquilo que podia, um carinho áspero.

— Bom dia — eu disse, repentinamente, mas por educação.

Ela me encarou concentrada, mas eu quase não conseguia distinguir seus olhos, recobertos pelas pálpebras caídas, a não ser pelas duas finas fissuras por onde penetrava aquilo que ainda lhe restava saber do mundo.

Então, uma menina veio correndo com um maço de ervas recém-colhidas.

— São boas? — perguntou, aflita, à vovó.

— Tem orvalho por cima? — a velha respondeu com outra pergunta.

Sim, estavam úmidas de orvalho. Então estavam boas. A bisneta as colocou em um copo sobre uma mesinha baixa, que eu ainda não havia notado, à sombra do carvalho. Havia garrafas no chão e vidrinhos com misturas estranhas, cataplasmas de todas as cores e magias. Ali também estavam a azeiteira e um prato com água, para descobrir e curar o mau-olhado. E, por fim, uma faca pequena, com a qual traçava marcas nos corpos sobre os órgãos atingidos, mas sem cortar.

Justamente naquele momento chegou um carro e dele saíram duas pessoas em busca de conselhos e remédios da tia Carmela.

A mãe se levantou e a velha falou novamente com ela.

— Você nasceu debaixo de um planeta ruim, mas aquela ali vai dar certo — disse-lhe apontando em minha direção.

Depois disso, continuou atendendo clientes por horas. Em certos momentos, formou-se até uma fila que se estendeu na direção do pátio do quintal. Eles aproveitavam a lua minguante, a fase mais propícia para regredir qualquer mal, conforme me explicou a mulher do Meio-charuto.

Não era bem verdade que teríamos de trabalhar. Naquele dia, tudo o que fizemos foi apanhar as favas no campo para comê-las no almoço. Deram-nos cestas e Giuseppe ficou em casa com uma menina que o adorava. Como se fossem a nossa companhia, as andorinhas voavam correndo sobre nossas cabeças, fazendo uma algazarra. Levavam insetos aos recém-nascidos nos ninhos grudados nas vigas do estábulo. Costeamos os campos de cevada, com as espigas ainda verdes e peludas. Eu as tocava de leve, passando os dedos pelos fios de erva moles por causa da insistência do sol. Depois de todo aquele inverno, os raios me estonteavam. A horta, com os sulcos retos e paralelos e, nos buracos, os pés de verdura colocados sempre com a mesma distância um do outro. A área reservada para os tomates, com as plantinhas ainda jovens e frágeis.

Quando chegamos às favas, arranquei a primeira de maneira tão desastrada que quebrei toda a planta. Então fiquei ali olhando, mortificada.

— Venha ver como se faz — disse a mãe. — Com uma mão, você segura a parte de cima, com a outra colhe.

Eu estava perto dela e nós usávamos o mesmo cesto. Os outros estavam um pouco distantes de nós.

— Experimente, veja como são gostosas — disse, enchendo minha mão de grãos.

Eles tinham gosto de mato e eram difíceis de serem esmagadas com os dentes.

E, então, a colheita continuou. Em meio às folhas, de tempos em tempos, encontrávamos pequenos montes de uma espuma esbranquiçada.

Era o cuspe do cuco, ela me explicou, e que a comadre Carmela às vezes o utilizava em suas poções. Só há pouco tempo eu descobri, por acaso, que aquele líquido, na verdade, quem produz é a larva da cigarrinha, não o cuco. Sendo assim, a fábula da mãe se desfez.

— Aqui tudo é assim, tão bem cuidado e em ordem — eu disse com um suspiro. — Queria que minha vida fosse como esse campo — escapou-me depois.

Talvez o lugar fosse propício a confidências ou era influência da maga. A mãe não respondeu nada, mas escutou.

— Que idade eu tinha quando você me deu para sua prima? — perguntei com calma e com certa fraqueza, mas sem raiva.

— Você tinha seis meses, já estava desmamando. Depois que fez você dormir uma vez, Adalgisa passou a vir todas as semanas. E sempre quis te levar para a casa dela.

— Mas por quê?

— Há anos ela queria ter um filho e não conseguia.

A poucos passos de nós, os outros colhiam e comiam, de vez em quando chegava a voz estridente de Adriana, seguida de risadas.

Minha mãe, no início, recusou me entregar a Adalgisa, mas depois ficou grávida do quinto filho e meu pai tinha perdido o emprego. Uma noite, conversaram a respeito, fechados no quarto deles, enquanto eu, desconhecedora de tudo, dormia no berço e meus irmãos no outro quarto. Por fim, cederam.

A prima fazia questão de que fosse eu, pequena e menina, caso contrário não se apegaria. Pegou-me quando eu ainda não era capaz de entender nada.

— Ela não levou nada para você da nossa casa, comprou tudo novo. Então, fiquei com suas coisas para a criatura que estava em minha barriga, mas perdi depois de vinte dias. Sangrei por baixo e por pouco não morri.

— E você não podia ir me pegar de volta? — perguntei sem muita força na voz.

— Adalgisa não teria dado, já estava te criando, como ela dizia.

Sentei no chão com o queixo nos joelhos. Os olhos queimavam no esforço de conter as lágrimas. Ela ficou em pé, com o cesto cheio apoiado no braço. Devia ser meio-dia, e ela suava em silêncio. Não conseguiu se mexer e dar o único passo que nos separava da consolação.

Então, uma voz vinda do pátio nos chamou para o almoço. Deixamos o campo, todos saindo pela mesma trilha que dividia as culturas. As plantas, livres do perigo dos nossos pés, iam se reaproximando.

— Por que você está com essa cara séria? — perguntou Adriana, agitada.

Sob um telheiro, esperava-nos uma longa mesa posta. Havia favas cruas, pão ainda quente para comer com azeite, favas cozidas com cebola fresca, grandes pedaços de queijo pecorino e presunto do porco abatido um ano antes. Ao abrigo do vento, ficava o pequeno forno onde as carnes já estavam sendo assadas. Meu pai falava com o Meio-charuto e eles bebiam vinho da vindima do ano anterior, elogiando a força e a cor da bebida. Talvez eu nunca o tivesse visto rir daquele jeito. E foi só então que percebi que lhe faltavam dentes.

A velha não saiu da sombra do carvalho, levaram alguma coisa para ela, mas ouvi dizer que já se alimentava muito pouco e não comia mais carne. Durante nosso longo almoço, continuava a receber gente, a curar as pessoas com emplastos e com palavras antigas e pesadas.

Ela morreu com cento e nove anos, sentada no mesmo lugar. De seu respiro final subiu uma chama que secou na hora toda a copa da árvore, folha por folha. Foi por causa disso que perceberam que ela tinha morrido. A três dias do funeral, com um estrondo noturno que acordou a cidade inteira, o tronco monumental do carvalho caiu no chão. Do lado certo, porém, sem derrubar a casa. Por anos forneceu lenha à família de Meio-charuto e, quem sabe, talvez até hoje continue a queimar, aquecendo os invernos daquela gente.

# 27

**NÓS BRINCÁVAMOS NA PRAÇA QUANDO, POR VOL-**
ta de meio-dia, o filho do Ernesto veio correndo avisar que às quatro em ponto alguém iria me telefonar na venda. Ele não tinha falado com a pessoa interessada em conversar comigo e não sabia dizer quem era. Logo fui tomada por uma onda de curiosidade, e na hora do almoço não tive vontade de comer a vagem com batata.

Naquela manhã, tinha ido à escola com a minha mãe para a retirada do diploma do ensino fundamental. Como sempre, após a morte de Vincenzo, ela se vestiu de preto, com uma saia de caimento ruim e uma blusa desbotada depois de tantas lavagens. Nas notas finais afixadas no corredor, eu li para ela o meu "ótimo", mas ela nem ligou.

Minha mãe achava que tudo era fácil para mim, então não sabia o quanto eu tinha sofrido na prova de latim com a dupla de *aut* que não me deixava perceber a obviedade do significado. Na segunda hora de prova, a professora se aproximou da minha carteira e fez duas vezes um "o" com os lábios, e então o novelo emaranhado da questão se desfez como por encanto.

Na hora de entrar na sala de aula onde seria feita a entrega dos diplomas, senti a mão de minha mãe passar nas minhas costas e parar firme no ombro. Abaixei a cabeça, como um cachorro medroso e satisfeito com o primeiro carinho depois do abandono. Mas logo me esquivei com um movimento brusco e me afastei um pouco. Eu tinha vergonha dela, dos dedos rachados, do luto desbotado, da ignorância que lhe saía da boca a cada palavra. Nunca deixei de ter vergonha do seu jeito de falar.

A cabine telefônica pública ficava nos fundos da venda do Ernesto, na parte externa e sob o sol. Lá chegava o forte cheiro do vinho ruim e as vozes pastosas dos velhos que o bebiam naquela hora, com aquele calor. Cheguei mais cedo e esperei o telefonema sentada em um banquinho velho que balançava a cada movimento. Dei um pulo quando o telefone tocou. Ernesto atendeu na frente e me passou a ligação. Tinha medo de levantar o gancho e ouvir quem quer que estivesse do outro lado da linha, depois de tanto tempo. Entrei e fechei a porta da cabine atrás de mim, mas logo a abri de novo, porque fiquei imediatamente sem ar. Fiquei parada ainda uns instantes, pensando que deveria atender logo, do contrário a pessoa iria desligar, talvez para sempre. Por fim, falei alô e respirei nos orifícios do microfone do telefone.

Pensava que ela iria se comover, mas isso não aconteceu. Cumprimentou-me e perguntou como eu estava, com uma leve hesitação, nada mais.

— Como *você* está?

— Com a graça de Deus. Mas me fale mais de você.

Ela interrompeu logo o silêncio que se seguiu.

— Fiquei sabendo que você foi a melhor na escola. Eu sabia que seria.

A capacidade que ela tinha de obter informações a distância era surpreendente. Horas antes, a professora Perilli tinha feito minha mãe ficar um tempo a mais na sala de aula, após o término da breve cerimônia da entrega dos diplomas.

— Sua filha foi a melhor de toda a classe. Ela tem um verdadeiro talento para os estudos. E vocês agora não podem jogá-lo fora, já falamos disso, lembra-se? — perguntou para minha mãe, encarando-a fixamente. — Aqui estão os nomes de três colégios na cidade, pensem e depois me digam em qual deles vocês pretendem inscrevê-la. Se não for um incômodo, gostaria de ser informada do percurso escolar de sua filha — concluiu dando-lhe uma folha.

A mim, a professora entregou livros para ler durante o verão. Por fim, pegou meu rosto entre as mãos como algo precioso e me beijou a testa. Um de seus anéis se prendeu em meus cabelos e, quando conseguiu tirar, um fio ficou enrolado em volta da ametista do Brasil. Não lhe disse nada. Desse modo uma minúscula parte de mim ficaria com ela por mais um pouco.

À porta, minha mãe teve uma ideia e voltou atrás.

— Na escola eu não fui, mas burra não sou, professora. Eu percebi sozinha que ela tem cabeça para estudar — disse, apoiando a mão sobre minha cabeça. — Vou ver como posso resolver, mas vou fazê-la continuar.

A voz ao telefone era um pouco diferente da última vez, eu a sentia mais forte e clara, mesmo depois de ter percorrido todos aqueles quilômetros de cabos. Não soava triste nem parecia ser de um doente. Por uns instantes, achei que ela tivesse se curado e estaria pronta para vir me pegar. Seria por isso que estava ligando? Uma lâmina de angústia rasgou-me a garganta, surpreendentemente, diante da perspectiva mais desejável para mim. Naquele momento, não sabia mais o que desejar. Foi um momento de confusão, enquanto a outra continuava, calma.

— Sua mãe já deve ter dito que queremos mandar você para uma boa escola, você merece.

Fiquei gelada por causa do sujeito da frase que usou e que lhe saiu tão espontâneo como se ela também não fosse minha mãe, mas sim uma velha tia endinheirada disposta a financiar meu futuro.

— Então eu vou voltar para casa? Pois nessa cidadezinha não tem nenhum colégio — tentei argumentar, depois de uma pausa.

— Na verdade, eu pensava em colocar você no colégio das freiras de Santa Úrsula, que é ótimo para jovens estudantes. E eu cuidarei de todas as despesas.

— Esqueça o colégio. Talvez eu não vá para a escola — respondi seca.

— Então tentaremos encontrar outra solução, talvez uma família de confiança possa aceitar você como pensionista.

— Mas por que eu não posso ficar em casa com vocês? O que fiz para vocês? — perguntei quase gritando.

— Você não fez nada. Mas agora não posso explicar. De todo modo, faço questão que prossiga nos estudos.

Nessa hora, um jovem se aproximou da cabine, caminhando em círculos, impaciente. Fechei a porta rápido, puxando a maçaneta vertical.

— E se os pais da Patrizia quiserem ficar comigo? — eu a desafiei.

— Não me parece a família adequada. Mas não se preocupe, temos bastante tempo para nos organizarmos.

Ouvi um barulho no fundo, como se uma cadeira estivesse sendo arrastada. Em seguida, uma voz de homem disse alguma coisa. Mas não poderia ter certeza, às vezes sentia interferências na ligação.

— Quem está com você? É o papai? — perguntei suando em todo corpo. O rapaz bateu no vidro da cabine e em seguida bateu com o indicador no seu relógio de pulso.

— Não, é a televisão — ela respondeu. — A propósito, estou pensando em lhe dar uma de presente, parece que vocês não têm.

— Vocês vêm trazê-la?

— Não posso, mas mando entregar.

— Então economizem o dinheiro. Não quero. Mesmo porque vocês decidiram que em setembro eu vou embora, não é mesmo? E, afinal de contas, no verão ficamos sempre na rua, não vai ser útil.

Pensava que com essas palavras a tinha provocado, mas ela não reagiu. Ela tinha pressa, mais do que o tipo que marchava bufando lá fora. De novo ouvi uma voz atrás dela, mas não entendia as palavras. Houve uma estranha conversa depois. Ela prometeu me telefonar de novo e que nos encontraríamos. Terminou com cumprimentos rápidos e desligou, sem esperar os meus. Fiquei com o gancho suado na mão, ouvindo um toque intermitente e sentindo uma raiva inflamável na cabeça. Decidi na hora que não queria vê-la nunca mais. Chega de mamãe, até dentro de mim eu a chamaria de *Adalgisa*, com todo o gelo que o nome escondia.* Eu a perdi de verdade e por algumas horas acreditei que pudesse esquecê-la.

— Olha só quem é, a Devolvida — disse o rapaz quando saí. E cuspiu no chão olhando para mim.

---

* A autora faz um jogo de palavras com *algida*, que significa "gélida" em italiano (N. do T.)

— Telefone com calma que, enquanto isso, vou chamar meus irmãos. Vão te fazer em pedaços — ameacei com os dentes cerrados, feroz.

Mais tarde, naquele dia, eu penteava os cabelos de Giuseppe com os dedos, e ele estava parado e quieto em minha cama, como ele gostava. Quem sabe quanto ela deve ter se esforçado para não chorar ao me ouvir depois de quase um ano. Ou, talvez, por alguns instantes, deva ter coberto o telefone com a mão. Eu conhecia esse gesto dela, já tinha visto antes. Se ainda não conseguia vir me pegar devia ser porque havia motivos graves e aquele não era o momento de me explicar, como tinha dito. No fundo, meninas como eu não podiam entender tudo. De todo modo, eu tinha certeza de que um dia voltaria para casa, mesmo que ninguém me dissesse nada sobre isso. Seria uma surpresa, mas boa, dessa vez.

Pensava sempre em mim, preocupava-se com o meu futuro. Nós certamente nos encontraríamos. E, também, o que mais eu queria? Eu lhe respondi como uma ingrata e agora não sabia como encontrá-la para me desculpar. Algumas lágrimas minhas caíram sobre o rosto de Giuseppe, fazendo com que ele abrisse os olhos.

Eu me arrependi também de não ter aceitado a televisão. O aparelho consolaria Adriana quando eu fosse para a "escola alta", como ela chamava o ensino médio. Eles ganharam uma usada, uma vez, mas depois de alguns meses quebrou e não foi possível consertá-la, muito menos comprar uma nova. Foi parar na garagem pouco antes da minha chegada. Naquele inverno, vimos todos os capítulos de *Sandokan*\* no térreo, sentadas no sofá da viúva. Com ela, descascando grãos de bico tostados, choramos por causa de Marianne. A Pérola de Labuan morria entre os braços fortes do Tigre da Malásia, por quem éramos loucas. Mas ele dissera que nunca mais uma mulher teria o seu amor.

---

\* *Sandokan* é um personagem criado pelo escritor italiano Emílio Salgari (1862 — 1911). É um pirata do século XIX que combate o Império Britânico e a Companhia das Índias. Tinha origem nobre, mas torna-se pirata por vingança a quem lhe assassinou a família. Era apaixonado pela órfã Marianne. (N. do T.)

Em um surto de orgulho, acabei privando Adriana de um passatempo para suprir minha ausência futura. Eu não parava de pensar nisso, e me sentia um pouco envergonhada.

Naquele dia de junho, eu estive presa entre minhas duas mães. De tempos em tempos, penso na mão da primeira que tive sobre os ombros, na escola. Até hoje me pergunto por que ela fez aquele gesto, avarenta de carinhos como era.

# 28

**POUCO MAIS DE UM ANO SE PASSOU, MAS AQUELE** foi o mais longo dos que vivi e o que seria mais decisivo para meu futuro. Eu era muito jovem e fui simplesmente levada pela correnteza para ver o rio em que me jogaram.

 Subi outras escadas com a mesma mala na mão, a bolsa com os sapatos na outra. Meu pai dava voltas à procura de uma vaga para estacionar. Ele não tinha experiência com o trânsito da cidade, justificou-se no começo da viagem e depois seguiu em silêncio. Nos cruzamentos, muitas vezes buzinavam por causa de suas indecisões. Eu não sabia como ajudá-lo, e senti tristeza depois da despedida. Com um pé dentro e outro fora, fiquei um momento olhando Giuseppe, que gritava e me estendia as mãos, enquanto a mãe o segurava. Ela insistia para que eu fosse embora, falando mais alto que os gritos do meu irmão, e assim nos separamos. Adriana não quis se despedir, estava furiosa comigo por ter quebrado o juramento de não nos separarmos. Então, foi se esconder na garagem.

 Por fim, não sei bem como, chegamos ao endereço que eu tinha anotado. O prédio ficava a alguns quilômetros da praia e a poucas quadras do colégio onde eu iria estudar. Assim que saí do carro, olhei-o de baixo em seu volume severo e compacto, observando a parede cor de avelã. Em relação a casa em que morei até um ano antes, ficava do lado oposto da cidade. No terceiro andar, uma porta esperava entreaberta. Parei uns instantes para acalmar a respiração e o coração. Estava prestes a tocar a campainha quando uma portinhola se abriu devagar e na penumbra da entrada apareceu uma jovem enorme. Assim me pareceu, se comparada comigo. Ela me cumprimentou com um "oi" largo e acolhedor, já cheio de informalidade. A voz era encantadora, tilintavam minúsculos sinos que paravam de tocar alguns instantes depois que as palavras eram ditas.

— Entre, minha mãe volta em um minuto — disse ela, pegando minha bagagem.

Eu a segui até o quarto que iríamos dividir. Na cama destinada a mim estavam duas caixas de sapato e o uniforme para usar durante o ano escolar. Estavam dispostos em ordem, como presentes para uma noiva nos dias antes do casamento. Meus futuros livros ocupavam uma prateleira da estante que Sandra me mostrou, os cadernos estavam colocados na escrivaninha, ao lado de uma calculadora. Adalgisa tinha passado há pouco por lá, sempre generosa.

— Sua tia veio aqui e trouxe todas essas coisas para você — confirmou Sandra.

Olhava-me com os grandes olhos castanhos e surpresos, talvez pelo meu pouco entusiasmo com todos aqueles presentes que chegaram antes de mim. Eu realmente precisava deles, as roupas que eu estava usando não eram lá grande coisa, mas eu estava cansada de receber presentes daquele modo.

Eu também a olhava, de baixo para cima, com discrição. Apesar de ser alta, parecia mais nova do que seus dezessete anos, por causa da pele limpa de criança e rosto angelical.

A mãe dela voltou junto com meu pai. Eles tinham se encontrado na escada. Ele não se lembrava do sobrenome da família que iria me hospedar e vagava de andar em andar tocando a campainha dos apartamentos. A senhora Bice tirou-lhe do embaraço e subiu na frente falando com ele com o forte sotaque da Toscana, que ainda conservava mesmo vivendo distante de sua terra natal. Levou-nos à cozinha e serviu os *cantucci*, famosos biscoitos toscanos recém-saídos do forno, e a meu pai ofereceu ainda um copo de vinho doce para embeber os biscoitos.

— Vou levar uma garrafa deste vinho para quando encontrar minha outra filha, em Florença. Veja como é bom — disse ela, esperando que meu pai provasse e fizesse algum comentário. Em seguida, voltou-se para mim, que beliscava um biscoito por educação, e avaliou meu tamanho. — Mas você é muito magrinha, olhe para nós aqui! — Apontou para si mesma e para a filha, rindo e balançando os seios robustos. A mandíbula proeminente e os caninos inferiores salientes faziam com que ela se parecesse com um alegre buldogue.

Estou certa de que a senhora Bice intuiu no primeiro olhar que o que me faltava não era comida. Nos anos que passamos juntas, entretanto, ela não se ofereceu como substituta, limitou-se a me nutrir com afeto, a apreciar meu empenho nos estudos, a inventar o ritual do chá de camomila depois do jantar para me reconciliar com o sono, sempre difícil de pegar. E já era muito mais do que lhe fora pedido.

De manhã, ela vinha até o quarto para nos acordar, encontrava-me de olhos abertos, sempre com um livro na mão.

— Olha aquela preguiçosa — dizia indicando a filha gigantesca que dormia sob as cobertas. Ríamos cúmplices, e em seguida ela começava a chamá-la.

Até hoje sou grata a ela, mas não a visitei depois do exame final do ensino médio. Falta-me o hábito de voltar aos que deixei.

Naquela tarde, antes que meu pai fosse embora, procurei entre os vestidos expostos sobre a cama algum que Adriana pudesse usar. No entanto, todos ficariam muito grandes para ela. Escolhi, então, um chapéu e um cachecol. "Não fique chateada comigo, sábado eu volto depois da escola, espere-me na praça às três", escrevi em um bilhete e entreguei tudo a ele para que desse a ela.

— Se for necessário, você desça a mão nela, faça de conta que é sua filha — ele recomendou à senhora, dirigindo-se para a porta. Não sabia tratá-la por "senhora", com educação. Com seu jeito simplório, pedia a ela para gostar de mim como uma filha, hoje consigo acreditar nisso.

— Preste atenção no ônibus que pegar para voltar no sábado, da cidade não sai apenas um. Pegue o certo — continuou, dirigindo-se a mim e depois à dona da casa: — Talvez seja melhor você acompanhá-la até o ponto, pelo menos na primeira vez. Até a escola também, porque ela não sabe onde é.

Falava como se eu fosse sua. Mas, na verdade, nunca se preocupou comigo ou com os outros. Ou talvez tenha sido eu que não vi. Abaixei a cabeça de emoção.

— Levante essa cabeça senão fica corcunda.

A palmada veio vigorosa e corretiva. Fiquei com a marca da mão pesada do meu pai nas costas.

Mais tarde, Sandra notou como eu estava desorientada.

— Eu ajudo você a ajeitar as malas — propôs.

— Incomoda se eu puser alguma coisa na parede? — perguntei.

— Não, imagine. Ali estão as tachinhas.

Era um desenho da minha irmã. Ela caprichou no dia de chuva que fechou o verão. No papel, estávamos eu e ela de mãos dadas sobre o prado florido. Com a outra mão eu segurava um livro, estava escrito "história" na capa, e ela, um sanduíche. Uma fatia de mortadela pendia, reconhecida pelos pequenos círculos brancos de gordura em meio ao cor-de-rosa. Ela adorava mortadela. Tinha ainda outra diferença entre nós: ela sorria e mostrava alguns dentinhos, eu não. Adriana sempre foi um gênio.

Fixei a folha na parede atrás da escrivaninha. Ao lado, coloquei um lenço que ela usava para proteger a cabeça no sol e que talvez eu tenha trazido sem que ela soubesse, mesmo porque naquele ano já não lhe serviria mais. Às vezes, eu a via dar o nó na nuca, como quando fomos colher as favas, por exemplo.

— Isso aqui me faz suar, mas sem ele me sai sangue pelo nariz — dizia.

Enquanto ajeitava as pontas do quadrado de tecido, sentia o cheiro dos cabelos de Adriana e o desconforto foi diminuindo um pouco, como uma febre. A partir de então, eu tinha o lenço diante de mim toda noite, com a estampa geométrica descolorida. Casinhas, arbustos estilizados e cestinhos pulsavam no escuro como figuras fosforescentes geradas pelos meus olhos. Então eu pensava nela e no pacto que acreditava ter rompido. Um dia eu me redimiria, se conseguisse levá-la para lá comigo. Já tinha medido o quarto, cabia outra cama. Eu também imaginava que a Sandra, a sua mãe e o seu pai, que tinha acabado de conhecer, não ficariam incomodados com um hóspede a mais. Ririam das tiradas fulminantes de Adriana. Ela os teria impressionado com seu bom humor demasiado adulto.

Eu já sentia que deveria recompensá-la pela sorte que eu tive e ela não. Contudo, entre nós duas, não pareço ser a mais adaptada à vida.

Sabe-se lá o que teria acontecido a ela, quando eu não estava. Minhas noites eram povoadas pelas desgraças que podiam lhe ocorrer, já tínhamos perdido um irmão e talvez fosse aquela casa que atraísse as tragédias. Dediquei a ela todas as noites em claro naquele primeiro período, mas no decorrer dos anos eu encontrava sempre um pretexto para me deixar agitada, para não dormir. Tento até hoje alguma solução, um colchão novo, um medicamento recém-lançado, uma técnica de relaxamento surgida há pouco. Já sei que não me deixarei apagar, a não ser em breves intervalos. Os mesmos fantasmas, os terrores obscuros, esperam por mim toda noite no travesseiro.

# 29

**HABITUEI-ME ÀQUELA CASA E ÀQUELA FAMÍLIA.**
Habituei-me ao senhor Giorgio, o pai de Sandra, doce e silencioso. Era o único magro ali, a esposa já tinha desistido de engordá-lo. No entanto, foi bem-sucedida na tarefa de aumentar alguns quilos do meu peso, como uma bruxa boa que não iria me comer tão magrinha. Servia-me porções abundantes e eu comia tudo, por causa da vergonha de deixar as sobras no prato.

No primeiro dia, a senhora Bice me acompanhou até a escola, como havia pedido meu pai. Aprendi o caminho mais curto; na metade do percurso, de um balcão piavam dois canarinhos na gaiola, os bichinhos que eu encontraria todas as manhãs.

— Está bom aqui, obrigada — eu disse a ela quando nos aproximamos do prédio amarelo-claro e de meninos tagarelando, em grupos, esperando para entrar.

Fui sozinha para o portão aberto. Na garganta, o nó de todo começo, que mistura excitação e medo. Da minha classe, eu conhecia apenas uma menina, que frequentava a mesma piscina que eu, anos atrás. Não a vi, porque eu só olhava para baixo, mas ela mesma me chamou e sentamos perto uma da outra. Tinha mudado há pouco com a família para aquele bairro.

— E você, por que se matriculou nessa escola, você não mora na costa norte? — perguntou-me mais tarde.

Abri a boca para responder, mas logo fechei. Não sabia o que dizer, decerto não diria a verdade e, no momento, não me ocorria nenhuma mentira plausível.

— É uma longa história — murmurei depois, bem pouco antes do som libertador do sinal.

Eu contaria uma história para ela outro dia, enquanto isso, eu me prepararia para mentir.

Começaram assim os anos da vergonha, que nunca mais me deixaria, como uma mancha indestrutível na pele, uma vontade desesperada de beber vinho. Construí uma fábula aceitável para justificar aos outros, professores e colegas da escola, a família deserta que viam em torno de mim. Repetia que meu pai policial tinha sido transferido para Roma e eu não quis deixar nossa cidade. Morava, então, na casa de uma parente e aos fins de semana eu ia encontrar meus pais na capital. O falso, por fim, revelou-se mais plausível do que a realidade.

Uma tarde, Lorella, a colega que se sentava comigo na mesma carteira, telefonou para pedir emprestado o caderno de matemática.

— Eu o levo para você, onde você mora exatamente? — perguntei-lhe apressada.

— Não precisa, estou passando com minha mãe justamente na sua rua, qual é o seu prédio?

Eu estava mesmo enrascada, tive de dar o número do prédio e o andar. Por sorte, só a senhora Bice estava em casa.

— Daqui a pouco chega uma colega da escola. Pensa que a senhora é minha tia, tudo bem? — perguntei a ela.

— Claro, mas lembre-se de me tratar por senhora. — E me piscou, talvez com piedade. Entendia e não me pedia explicações. Ela mesma fez questão de abrir a porta para Lorella.

— Fique à vontade, minha sobrinha está esperando você.

Também insistiu para me acompanhar até o ponto de ônibus, no primeiro sábado. A viagem parecia interminável e eu tinha medo. Talvez lá na cidadezinha já tivessem se esquecido de mim. O tempo para nos apegarmos foi breve, se é que éramos capazes de nos apegar.

Na segunda-feira, eu tinha mandado um cartão postal a minha irmã e pedi a ela que mandasse lembranças a todos. Isso se tornaria um hábito, eu mandava um cartão postal toda semana, para lembrar aos meus que eu existia e que voltaria para casa. Para Adriana e Giuseppe, eu desenhava corações e escrevia *smack*. Em certos períodos, o correio era mais lento e eu chegava no ônibus de sábado antes do cartão.

Justamente naquela primeira vez a estrada estava bloqueada por causa de um acidente a poucos quilômetros da chegada e ficamos parados um bom tempo. Fiquei com medo de minha irmã ficar cansada de me esperar, se tivesse realmente ido ao meu encontro. Quando, enfim, o ônibus passou a placa de boas-vindas da cidade, tive a sensação de que ela não estaria na praça e para mim seria mais difícil voltar sozinha.

Mas, por fim, lá estava ela com as mãos na cintura e os cotovelos abertos, com aquela expressão de desapontamento que eu conhecia. Faltavam poucos minutos para as quatro da tarde.

— Não posso ficar esperando o dia inteiro. Também tenho coisa para fazer — desabafou.

Ela estava muito engraçada, no clima ainda quente usava o chapéu de lã que eu mandara pelo nosso pai para ela. Na linguagem teatral de Adriana, aquilo significava que tinha me perdoado da culpa de tê-la deixado. Demos um abraço apertado.

Talvez só ela e eu tenhamos visto, na minha volta à cidade, uma nova separação. Em casa, nossa mãe se comportou como se eu tivesse saído há cinco minutos para comprar um pacote de sal na venda. Porém, tinha deixado no forno um prato de macarrão. Ela até o aqueceu, enquanto eu estava no banheiro. Devia ter calculado que da escola para o ônibus eu não teria tempo de comer.

— Olha só, essa aí voltou — cumprimentou-me Sergio, olhando torto.

Nada estava diferente depois de uma semana.

Numa sexta-feira de dezembro eu tive febre e, no sábado, a senhora Bice foi irredutível em não me deixar partir. Telefonei para a venda do Ernesto para lhe pedir para avisar a família e disse que tudo estava bem, mas não pude garantir que ele entendeu o recado. Ouvi as vozes altas e alteradas dos fregueses, o tilintar dos copos inquebráveis. O mais importante era não deixar Adriana me esperando no ponto do ônibus. Contei os dias até as férias de Natal e fui subtraindo um a um à medida que passavam.

Na volta, eu a encontrei mais magra e em guerra com todos. Até para mim só acenou com a cabeça quando entrei com a bolsa. Logo depois, desceu para a casa da viúva arrastando consigo a cara feia. Queria que alguém me dissesse o que tinha acontecido.

— Mas o que ela tem? — perguntei para minha mãe, em pé diante da cozinha. Ao lado dela, no chão, um balde com batatas para descascar.

— Quem? A sua irmã? Endoideceu e não come mais. Só ovo batido com vinho marsala, de manhã cedo, mas ninguém pode a ver comer, se não ela para. Eu preparo para ela e depois volto para o quarto.

— E por que ela está se comportando assim? — perguntei mastigando o nabo com feijão que tinha separado para mim. Eu me sentei diante da mãe, com o prato sobre a mesa sem toalha.

— Não quer mais ficar aqui, essa gata selvagem. Ela quer ir com você para a cidade. — E mexeu a faca, incrédula, no ar. — Algumas vezes ela empaca como uma mula e não vai à escola. Nem das bordoadas do pai ela tem mais medo.

Sacudiu a cabeça, uma casca em forma de espiral caiu no chão.

— Eu termino e vou lá embaixo chamá-la — disse.

— Veja se com você ela pensa no que está fazendo. Tente fazer com que ela te escute. Seu pai está preocupado, tem medo que essa filha vá embora também. Ela sobe todas as noites com um ovo fresco que um sujeito que trabalha na olaria dá pra ela.

Desci para encontrar minha irmã. Estava no sofá e assim que me ouviu pegou a primeira revista a seu alcance e fingiu se concentrar na leitura. Na mesinha baixa, uma bandeja com biscoitos parecia intacta. A viúva também estava tentando, minha mãe a tinha avisado. Mas Adriana não era do tipo que caía em armadilhas.

Sentei-me ao lado dela, éramos de casa ali. Mordisquei um biscoito, depois outro, na esperança de contagiá-la. Depois dos cumprimentos de praxe — como eu tinha crescido e como estava bonita —, Maria acabou indo para a cozinha. Abriu o forno, conhecíamos de cor o barulho da porta, e o perfume de *polpettone* chegou até nós. Adriana mantinha os olhos nas páginas de "Grand Hotel", com o pescoço ereto.

— Que história é essa? — perguntei falando-lhe aos ouvidos.

— É uma fotonovela, não está vendo? — conversou com a voz um pouco estridente, de quem quase queria cair no choro.

— Não essa. Estou falando de você. O que anda aprontando?

— Não sei do que você está falando — respondeu, ainda sem se virar.

Ela, então, cruzou as pernas e inclinou levemente o tronco para aumentar a distância entre nós, deixando que a revista escorregasse para o lado oposto ao que eu estava. Algumas páginas se fecharam e ela começou a ler ao acaso, com muita curiosidade.

— Parece que você não come, vai à escola dia sim, dia não. Lá em cima estão preocupados com você.

— Preocupados? Aqueles lá? Imagina! Eles não se preocupam nem se você morrer. — E virou algumas páginas com tanta força que quase as rasgou.

— Eu posso ajudar?

Ela não respondeu de pronto. Peguei-lhe o braço fino com a mão e ela não se opôs. Não podia ver seu rosto, mas sentia sua resistência ceder um pouco por vez.

— Quando for a hora eu digo — disse, fechando a revista num golpe só. — Tchau, Mari — gritou, levantando-se, e eu a segui. Maria veio da cozinha, olhou-me e apertou os lábios em sinal de impotência e apreensão. Adriana já tinha subido as escadas.

Jantamos sem ela, que já tinha ido para o quarto. Quando eu voltava para casa, Giuseppe ficava sempre comigo. Eu o fiz dormir, depois fui até ela. Não lembro onde os dois rapazes passaram a noite, nem o motivo. Minha irmã estava sentada na beira da cama de cima, balançando as pernas no vazio. Parou enquanto eu subia a escadinha.

— Quem quebrou foi o asno do Sergio — contou-me quando viu que percebi que tinha um degrau a menos. — Eu não quero ficar mais aqui — começou com calma, já antes que eu me acomodasse perto dela.

Então, começou a puxar a casca de uma ferida do dorso da mão esquerda.

— Desde que você foi para a cidade eu me sinto perdida. Penso sempre em você e em Vincenzo. — E apontou com o queixo a cama vazia que ninguém tinha tido coragem de tirar.

Usou um pouco os dentes para tirar o que não conseguia com as unhas. Embaixo da casca apareceu a pele nova, de um rosa vivo, com vontade de ceder à pressão do sangue que a irrigava.

— Você tem de me levar para esse lugar onde você está. Fale com aquela senhora que é tão boa — pediu-me, como se nada fosse mais fácil.

— Quem disse que ela é boa? E lá não tem lugar pra mais uma, já não tem muito espaço para mim e para a filha dela — disse com uma dureza repentina.

— Eu não ocupo espaço. E eu posso dormir com você, a gente deita ao contrário, pés e cabeças, você lembra quando chegou? — implorou, olhando-me com aqueles olhos esperançosos de criança pedinte.

Claro que me lembrava, mesmo assim eu sentia uma resistência dentro de mim e não entendia de onde vinha. Muitas vezes pensei em levá-la embora comigo. Apoiei as costas na divisória atrás de nós que separava o quarto de nossos pais do nosso.

— E se elas disserem sim, quem vai dar o dinheiro para pagar a pensão para você? — disse, tocando devagar com o nó dos dedos na parede.

— Esses daqui não têm mesmo — respondeu rapidamente Adriana. Em seguida, com calma de quem já havia pensado sobre o assunto, continuou: — Mas alguém tem. Adalgisa. Você podia tentar.

Endireitei as costas de uma só vez.

— Mas como você pode pensar isso? Ficou louca de verdade. Eu nem sei onde encontrá-la.

— Está bem, então. Agora não vou comer mais nada. Não vá chorar depois se eu morrer de fome. — Voltou a balançar as pernas, sem pressa, olhando para a parede da frente. Tinha uma vantagem sobre mim, uma espécie de projeto já pronto na cabeça. Jogava a partida como uma adulta.

— Procure raciocinar, por favor. Ela já paga os meus estudos. Que motivos teria para ajudar você também? Você não é filha dela — eu rebati, suando.

— Se for por isso, você também não. Adalgisa só pegou você por alguns anos e depois devolveu.

Tentei um argumento extremo, não estava disposta a deixá-la atacar de novo.

— Ela me devolveu porque estava doente e não podia cuidar de mim. Queria me proteger.

Se Adriana tivesse me olhado, talvez tivesse parado, mas seus olhos estavam sempre naquela parede branca suja na frente dela e não viram meu desespero.

— Doente, sei! Você ainda acredita em conto de fadas. Ela estava grávida, por isso vomitava. Você nunca pensou nisso?

— Você é completamente estúpida — eu disse balançando a cabeça. — Ela é estéril, por isso que me adotou.

— Parece que quem tinha problema era o marido. Ela agora tem um menino, e ele não é filho do policial. Por isso toda essa confusão.

— Mas o que você sabe dessa história toda? Você é só uma fofoqueira ignorante. — E me virei de desgosto, ofegante. Meu coração batia furioso nas têmporas, como punhaladas de um diabo preso.

— Todo mundo sabe. Escutei a mamãe e o papai reclamarem que o menino já está grande e não será batizado.

E foi assim que Adriana me contou a verdade, um dia antes da véspera do Natal de 1976. No almoço do dia 25, fomos duas que não comemos, sobraria o caldo de alcachofra e os ovos batidos para o dia de Santo Stefano, que amanheceu coberto de neve.

Na cama de cima do beliche que Adalgisa nos havia mandado um ano antes, eu não encontrei mais palavras para lhe responder. Peguei sua mão esquerda e afundei as unhas o máximo que pude, reabrindo a ferida. Vimos juntas o sangue aflorar em torno dos cortes das únicas armas que me restavam. Ela não gritou e não tirou a mão. Quando tirei os dedos, eu a empurrei pelas costas, mas ela sabia como cair dali de cima. Chorei com uma violência nunca sentida antes.

Depois, fiquei ali deitada e não me mexi mais. O corpo pulsava, respirava por sua conta. Adriana entendeu que não era o caso de voltar para cima e se deitou na cama de baixo, a alguns palmos do meu ódio.

# 30

**ERA ESSE O BARULHO ESTRANHO NO FUNDO, QUAN**-do Adalgisa me telefonou na venda do Ernesto. Era isso: o choro de um menino. Do menino. E a voz de homem que a chamava — talvez tenha dito "ele já acordou" —, num tom mais grave do que o que eu conhecia. É o papai, eu lhe havia perguntado, mas ela disse que era a televisão. Ah, a televisão.

O repouso na cama, a náusea provocada pelos primeiros meses de gravidez e não por uma doença. Houve ainda umas lágrimas repentinas — e eu pensava que fossem por mim — nas últimas semanas que passei com eles e os tons alterados em uma noite, atrás da porta fechada do quarto do casal. Os telefonemas em que ninguém falava nada se era eu quem atendia. Depois, aquela pressa ansiosa para sair, em geral para ir à farmácia ou ao médico. Vou pegar os remédios, mamãe, me dê a receita. Não, agora passou o mal-estar, um pouco de ar me fará bem. Mas um dia o ambulatório estava fechado e eu vi o médico por acaso rodeando naqueles lados. Mais tarde, ela tinha voltado de lá.

Na lentidão do ônibus eu ainda reconstruía os indícios que tinha deixado passar, sempre os mesmos, mas de tempos em tempos descobria um novo. O seu pacote de absorventes sempre na metade, no banheiro. E, voltando para trás no tempo, os compromissos na paróquia que se tornaram quase cotidianos, mesmo porque eu já era grande e podia ficar em casa sozinha. Era uma catequista, a Adalgisa. Escutava o

*Credo* rezado de cor pelos meninos tamborilando os dedos no livro de preces, assim eu a via quando ela ainda me levava consigo.

Voltei mais cedo para a cidade no fim das férias de inverno com o pretexto de fazer as tarefas em um caderno que tinha ficado na casa da senhora Bice. No entanto, o que eu precisava era lhe pedir uma coisa com urgência. Para além disso, não conseguia resistir nem mais um dia na casa onde Adriana me disse o que todos sabiam. Naquela noite, eu quis morrer de vergonha. A mãe adotiva tinha me devolvido porque teve um filho seu. E todos sabiam, menos eu.

Nas horas mais escuras depois da notícia, tentei parar o peito. Bastava que ele ficasse passivo, como debaixo d'água. Contava em silêncio, à espera de que o oxigênio restante se dissolvesse no sangue e me engolisse em um sono cada vez mais pesado até se transformar em morte. No entanto, alcançado o limite, respirei fundo com um longo assobio, era a nadadora que emergia e se enchia de ar para sobreviver. O mundo que eu conhecia se desmoronava a minha volta, pedaços de céu em movimento se abatiam sobre mim.

Quando a luz da véspera de Natal apareceu na janela, meu pai despertou no outro lado da parede, provocando os rangidos rítmicos da velha cama quebrada. Não os ouvíamos mais desde a morte de Vincenzo.

Depois, minha mãe foi até a cozinha. E eu já estava lá, no escuro agora iluminado. Ela não me viu de pronto, e se assustou com meu movimento.

— Por que você não me contou que ela esperava um filho?

Abriu os braços e se sentou sacudindo a cabeça devagar, como se esperasse a pergunta há muito tempo e ainda não soubesse a resposta.

— Ela queria contar para você, mas o tempo passou e ela não voltou mais.

— Quem é o pai?

— Não sei. O marido é que não era bom para fazer filhos, o outro a engravidou sem muita dificuldade.

— Deve ser alguém que frequenta a paróquia, ela passava tardes inteiras lá — pensei em voz alta. Eu também me sentei, apoiando o braço na mesa ao lado.

— Tomara que não seja o padre — tentou brincar minha mãe. — Bom, vou fazer o café, quer um gole? Você já é grande — desconversou, levantando-se. Ela estava ocupada com a cafeteira e com a colherzinha, e eu não a olhava. Depois de alguns minutos, começou a borbulhar e dava para sentir o aroma no ar. Eu segurei seu pulso enquanto colocava a xicrinha para mim na superfície de fórmica, o pouco que eu ia beber derramou.

— Por que você não me contou?

Não ficou com raiva por causa do café, deixou o líquido escorrer, perfumado e fervente, até a beira da mesa. Uma gota caiu, depois mais uma. Ela já tinha adoçado, eu reconhecia pelo cheiro. Continuava a segurá-la, a pele esbranquiçada em torno da mordida dos meus dedos.

— Estava esperando que você crescesse um pouco antes de te dar esse desgosto.

Soltei e empurrei o braço.

— Onde eles estão? — perguntei.

— Quem?

— Adalgisa, o filho.

— Não sei onde ela está com a criatura. Por isso não vou levar um presente.

Enxugou a mesa com uma esponja, depois as gotas no chão.

— Mas não faça como aquela outra, que não come. Eu bato ovo para você também, tenho um monte para o Natal.

Eu fui embora antes que ela tentasse fazer.


Nos dias seguintes, eu e Adriana não nos falamos, mas eu sentia pesar sobre mim seu olhar culpado, atento. Uma noite, eu estava lendo e o livro escapou-me das mãos. Ela foi mais rápida que eu, desceu a escadinha com seus modos de gata e o pegou.

— É bom? — perguntou, abrindo-o.

— Acho que sim, estou no início.

Ajoelhou-se no chão e folheou algumas páginas.

— Puxa, não tem nenhuma figura. Você me empresta quando terminar? Agora que estou no fim do ensino fundamental preciso começar a ler alguns romances.

— Está bem — eu respondi, e ela subiu toda entusiasmada.

Tinha suspendido sua greve de fome e eu me esforçava para comer a comida que sentia amarga como remédio. Comia o mínimo para não chamar a atenção.

Antes de partir, deixei o livro sobre o travesseiro de Adriana. Não a encontrava em casa e já era tarde, então saí sem me despedir dela. Um pouco depois, já na praça, reconheci seus passos às minhas costas. Ela me alcançou esbaforida.

— Maria é um grude, me chama toda hora. Na hora em que eu estava saindo, queria minha ajuda para mudar os móveis de lugar.

Ela segurou na alça da bolsa que eu levava, para dividir comigo o peso. Caminhávamos para o ponto de ônibus, era quase como andar de mãos dadas.

— Eu, às vezes, falo um pouco demais — admitiu, ofegando por causa da subida.

— Você não tem culpa se diz a verdade. É a verdade que está errada.

Subindo os degraus do ônibus, eu me virei para olhá-la.

— Vou pedir à senhora se pode arrumar um lugar para você. Ela é boa, você tem razão.

No entanto, não era aquela a pergunta que me queimava na boca quando o senhor Giorgio abriu a porta. Eu já tinha esquecido Adriana, pelo menos por um tempo. Ele estava sozinho em casa, a mulher e a filha estavam no hospital. Sandra tinha quebrado uma perna, sem nenhuma queda, imaginei a fratura do osso por causa de todo aquele peso. Ela só teria alta na manhã seguinte. Portanto, naquela noite, a mãe ficaria no hospital e eu teria de esperar para falar com ela. Liguei para Patrizia e ela me convidou para jantar na casa dela. Desde que eu tinha voltado para a escola na cidade, nós nos víamos de vez em quando.

A senhora Bice virou a chave no buraco da fechadura justamente quando eu estava vestindo o casacão para sair. Estava com pressa, tinha voltado só para pegar alguma coisa. Eu perguntei a ela como estava Sandra, por gentileza, mas nem escutei a resposta, não me importava muito com ela.

— Perdi o número de telefone de minha tia, a senhora poderia me dar?

Parecia um pouco espantada, lembrando talvez da minha reticência todas as vezes que mencionava Adalgisa. Não entendia o que ela sabia de mim, a não ser que aquela tia mantinha meus estudos.

— Eu tinha um número, mas depois ela mudou e se esqueceu de me passar o novo. Desculpe.

— Mas como vocês fazem com... com o dinheiro? — perguntei, sem olhar para ela.

Ela se deteve um instante, talvez estivesse se perguntando se podia ou não me dizer alguma coisa.

— Ela sempre passa aqui na última sexta-feira do mês.

Certamente de manhã, quando eu não estou em casa. Do contrário nos encontraríamos.

— Sozinha? — deixei escapar.

— Sim. Agora preciso correr, a Sandra está me esperando. — No entanto, deu dois passos em direção ao banheiro e parou. Ficou ali com a mão na porta. — Você voltou antes do fim das férias e está com a cara triste. Fico feliz que vai à casa de sua amiga, assim você se distrai um pouco. Se quiser ficar lá para dormir, eu lhe dou a permissão.

# 31

**A FATIA DE PANETTONE ESTAVA À MINHA FRENTE,** sobre a mesa coberta com a toalha com motivos natalinos. Na beirada, as renas puxavam os trenós cheios de presentes, mas a primeira delas ficou decapitada pelo corte do tecido e as outras pareciam seguir ao encontro desse mesmo fim.

— Você também não gosta das frutas cristalizadas? — perguntou a mãe de Patrizia, notando que eu não comia.

Impulsionadas não sei bem como por aquelas palavras, escaparam-me algumas lágrimas sobre as frutas cristalizadas, a uva-passa e a massa doce e amarelada. Com um sinal de Vanda, o marido foi para a sala e ligou a televisão. Pat olhava a mãe imóvel e tensa na cadeira ao lado da minha. Fora algumas tentativas de Nicola de estabelecer uma conversa, o jantar tinha sido estranhamente silencioso. O atrito dos talheres contra os pratos e nada mais. Estavam tristes pela morte do velho gato da casa.

— Ela não estava doente, estava grávida — disse, enxugando a bochecha com o guardanapo vermelho. — Como eu não percebi antes que me mandassem de volta para a cidadezinha?

— Você não estava preparada para isso. — Vanda deu a volta à mesa, vindo na minha direção.

— Por isso me mandou de volta. Mas o que eu tinha a ver com isso? Eu poderia ajudá-la com o pequeno.

— O que ela te disse?

— Soube por minha irmã.

Vanda pousou a mão em meu ombro, incrédula, e eu recostei minha cabeça em seu flanco macio coberto de lã. Ela abraçou-me levemente. Fechei os olhos de cansaço, queria que ela ficasse quieta e não se mexesse, pelo menos por um tempo, apenas alguns instantes de repouso para mim, apoiada em um corpo humano, perdida em seu perfume. Um breve momento de esquecimento.

— Uma menina acabou tendo de contar a você? Não é possível. Estava certa de que Adalgisa, mais cedo ou mais tarde, conversaria com você. Cabia a ela te dar todas as explicações.

Sob meus ouvidos, vibrava sua profunda indignação. Endireitei-me com um solavanco.

— Mas agora eu sei o dia em que vai dar o dinheiro do mês para a senhora, sempre de manhã, enquanto estou na escola. Da próxima vez, ela irá me encontrar.

Nicola chamou Vanda, tinha de responder a um telefonema urgente.

— Eu vou ficar lá com você, falto à escola esse dia — ofereceu-se Pat, que tinha ficado calada o tempo inteiro.

— Não. Quero estar sozinha.

— Sabe, uma vez encontrei a Adalgisa com o bebê e seu marido de agora — retomou Patrizia, como se tivesse recuperado a memória de repente. — Você se lembra do viúvo que frequentou a paróquia por um período, aquele rapaz grandão e musculoso?

Eu tinha uma leve lembrança do homem, que não me despertava qualquer interesse. Tinha se casado em nossa igreja e, após a perda da mulher, ia lá algumas tardes.

Eu culpei Pat — mas agora já acostumada e resignada — por não ter me dito nada antes.

— E o menino? — perguntei depois do silêncio que se seguiu à sua revelação.

— O menino? Eu nem olhei para ele, estava muito ocupada olhando para o pai. Acho que o menino dormia.

Pelo menos viu quem o carregava no colo? Ah, isso sim, era Adalgisa. No fim das contas, ele não era nem meu meio-irmão, refleti. Sua mãe não era a minha.

Patrizia queria me envolver na fofoca, mas o assunto era muito doloroso para mim. Vanda escutou o que a filha dizia, quando voltou para a sala onde estávamos.

— Fique quieta — disse-lhe com um olhar de reprovação.

Mais tarde, Pat me pediu para acompanhá-la a uma festa, dali a uma semana. Eu não tinha nenhuma vontade, mas ela não se conformava. Estávamos sentadas as duas com as pernas cruzadas no tapete indiano de seu quarto. Do criado-mudo vinha a luz do abajur com a cúpula de vidro supercolorida. Fez uma lista dos rapazes que conhecíamos e que certamente estariam presentes e me mostrou seus primeiros sapatos com salto alto, que havia comprado em uma loja no centro. Insistia que eu poderia usar um par de Vanda, já que calçávamos o mesmo número. Vanda passou naquele momento para nos dar boa noite e Patrizia pediu a ela para que intervisse, que tentasse me convencer. Repeti que não estava interessada em festas.

— Você não tem nada do que se envergonhar, você não escolheu o que aconteceu. A responsabilidade é dos adultos — disse, com o indicador estendido para cima em sinal de advertência.

— Eu agradeço suas palavras. Mas não vou aguentar ficar no meio de uma multidão de jovens se divertindo. Não me sinto mais como os outros. Pensava que era uma garota normal, mas é tudo mentira. Agora eu sei que meu destino é diferente. — Eu me dirigia só a Vanda, como se Patrizia não estivesse ali diante de mim, no tapete.

— Destino é palavra de gente velha. Você não pode acreditar nele aos quatorze anos. E se acredita, deve mudá-lo. É verdade que você não é igual aos outros, pois ninguém tem sua força. Depois de tudo o que aconteceu, você está de pé, limpa, impecável e com a média oito no primeiro trimestre. Nós admiramos você — disse, olhando um instante para a filha como que em busca de uma confirmação previsível.

— Não pode imaginar quanto me custa me manter limpa e impecável, como você diz, e ainda por cima estudar — respondi.

Ela se sentou, com um suspiro.

— Eu sei, mas continue assim, não se deixe distrair por pensamentos ruins.

Patrizia pegou minhas mãos e as apertou.

— Você é minha amiga, entre nós duas tudo continua como era antes.

— Entre nós duas, sim — disse, inclinando-me um pouco para a frente até nossas cabeças se encostarem.

Vindo da rua, podia se ouvir a salva de fogos antecipados para a Epifania.

# 32

**DESPI-ME NA POUCA LUZ QUE VINHA DOS LAMPIÕES** mais próximos. Do céu sereno, no entanto, pairava sobre a cidade uma claridade austera. Na varanda da senhora Bice, a espreguiçadeira tinha ficado aberta desde o verão passado. Apoiei-me no encosto da cadeira, à medida que tirava as duas peças do pijama, as meias e a camiseta ainda quente de mim. O reflexo pálido das estrelas nos meus seios. No quarto tinha deixado Sandra em sonhos, a perna engessada era quase como uma coluna sob as cobertas.

    O frio me pegou, como eu queria. Precisava só de tempo. Arrepiava, tremia e batia os dentes. Estava decidida a ficar ali, nua, por meia hora, controlaria o tempo no despertador que tinha levado comigo. Eu o segurei por alguns instantes com as duas mãos observando o movimento imperceptível do ponteiro fosforescente dos minutos, depois, coloquei-o no chão e me deitei na espreguiçadeira. Percebia a contração dolorosa dos meus mamilos, enquanto os dedos dos pés, mais distantes do coração, adormeciam como mortos. Com os olhos nos números acesos e naquele ponteiro verdinho que rodava tão lentamente, resisti, repassando na mente tudo o que eu diria no dia seguinte. Era a noite entre quinta e a última sexta-feira de janeiro, eu precisava arranjar uma febre para a manhã.

    Pouco antes das oito, a silhueta da senhora Bice, que não tinha me visto sair do quarto, apareceu atrás do vidro opaco da porta, mas eu já estava doente. Ela ouviu a tosse e procurou o termômetro no criado-mudo da filha. Eu estava com febre, mais de trinta e oito.

— Bom, hoje você fica em casa. Trago o café para você aqui.

Deu dois passos, indo em direção à cozinha, mas logo parou, como detida por um pensamento súbito, e me encarou.

Fiquei no quarto com um livro nas mãos, mas não conseguia ler uma página sequer. Lia algumas linhas, mas não as assimilava, e tinha de recomeçar sempre do mesmo parágrafo. Esperava o som da campainha. Da primeira vez, era só o carteiro, com alguma coisa para assinar. Algumas tentativas de Sandra de conversar, depois que acordou, caíram no vazio das horas. Às onze era Adalgisa. Enquanto subia as escadas, a senhora Bice meteu a cabeça um momento dentro do quarto, com um ar interrogativo.

— Tenho de falar com ela — eu disse a ela.

— Está bem, assim que ela acertar as contas eu te chamo. — E fechou a porta atrás de si.

Os passos vinham se aproximando, depois, na entrada do apartamento, foram atenuados. Ouvi o barulho da fechadura às costas da mulher que havia me criado. As vozes se cumprimentaram, Adalgisa ainda sem saber que eu estava deitada escutando tudo. Entraram na cozinha, talvez para o café. Depois de alguns minutos, com o barulho de cadeiras se arrastando, temi que me escapasse de novo. Não esperei ser chamada.

Seu olhar quando me viu é uma das recordações mais vivas que guardo dela e, provavelmente, a mais danosa. Tinha os olhos de quem havia sido pega e não tinha como escapar, como se um fantasma voltasse de um tempo remoto para persegui-la. Era eu, pouco mais que uma menina, e as crianças não costumam dar medo.

Ficou sentada, um pouco desequilibrada de um lado depois de um ligeiro movimento do tronco. A pinta grande no queixo parecia mais escura, talvez pela palidez ao seu redor. Tinha raspado os pelos que cresciam por cima, mas alguns já despontavam na superfície. Sobre o marrom da madeira se destacava, ao lado do açucareiro, o dinheiro que todos os meses ela pagava pela minha hospedagem.

— Você não foi à escola? — articulou com dificuldade, movendo os lábios pintados com um vermelho mais vivo que de costume.

Não respondi. Ardia em febre e estava de pé, mas com a ajuda da parede.

— Está com febre — interveio a senhora Bice. — Ela quer falar com a senhora, venham para a sala de jantar. Ali ninguém vai atrapalhar.

Ela nos acompanhou, Adalgisa ia à frente e parecia muito segura nos saltos dos sapatos de camurça. Seu corpo havia ganhado uma forma mais redonda, mas ao mesmo tempo doce e ainda mais feminina. Eu a via caminhar pelo corredor em meio a uma névoa láctea. Na sala que quase nunca era usada, sentamo-nos à mesa retangular, como indicou a senhora. Depois, ela saiu e ficamos em silêncio, uma diante da outra. O vestido de lã verde estava esticado por causa da pressão dos seios que aumentaram.

Eu a olhava sem pressa, naquele momento, sentia-me forte pela injustiça sofrida. Estava furiosa, mas também calma, depois de todo aquele tempo. Eu a esperava há um ano e meio, cabia a ela começar.

Levou as mãos do colo para cima da mesa. Nada nos dedos, não usava mais a aliança. Pensei em seu filho, sabe lá quem estava com ele naquela hora. O meio-dia se aproximava e ela não parecia estar prestes a retomar o caminho para casa. Um suspiro levantou um medalhão pousado sobre o peito, fazendo-o brilhar.

— Eu te amei e ainda amo — começou.

— Não me importa mais se me ama ou não, deu para ver o quanto. Eu só quero saber por que me mandou embora.

— Não foi fácil, não sei o que você pensa... — prosseguiu, passando o indicador pela borda entalhada da madeira.

— O que eu deveria pensar? Você só me contou a mentira da família que me queria de volta. Mas lá todos sabiam e todos falavam a respeito. Deixei você na cama com vômitos, pensei que sofresse de uma doença grave. *Eu* me preocupei com *você*. Eu telefonava e ninguém atendia, fui a nossa casa duas vezes e estava fechada. Pensei que você estivesse em um hospital distante, que pudesse estar à beira da morte. Esperei você por meses, na esperança de que melhoraria e voltaria para me buscar.

Enxugou as lágrimas com um lenço que tirou da bolsa pendurada no encosto da cadeira ao lado.

— Não foi fácil — repetiu sacudindo a cabeça.

— Vocês poderiam simplesmente ter me dito a verdade — disse, inclinando-me sobre a mesa na direção dela.

— Você era muito nova para saber a verdade, queria esperar que crescesse um pouco. — Ela também achava isso, como a outra.

A tosse, que não tinha ousado me interromper antes, atacou-me e nos concedeu uma pausa.

— Você não pregou sempre que o matrimônio é um sacramento indissolúvel?

— O menino tinha de ter o pai a seu lado — justificou-se. — Entendo sua raiva, mas eu não tomei essas decisões sozinha.

— Mas eu teria ido com vocês, para ficar perto de você.

Eu procurava controlar a voz e conter o choro. De repente, eu passei a sentir cada grau da minha temperatura interna, bem como uma espécie de prostração sem remédio.

— Procurei acomodar você da melhor maneira possível. Não queria me afastar de você, mas não consegui fazer diferente.

— E seu marido não disse nada? Ele não podia ficar comigo?

— Era um momento difícil para ele. Não quis.

Recolocou as mãos no colo, a cabeça baixa. Eu me recostei na cadeira e olhei para os pingentes do lustre, com suas mil facetas. Parecia que estavam tremendo como em um terremoto, mas era só a minha febre.

— Você nunca me procurou. Aliás, muito pelo contrário, você só me evitava.

— Eu esperava a hora certa, já disse. Eu ajudei você de longe.

Não lembrava mais o que eu tinha planejado gritar para ela. As palavras saíam da minha boca sem energia, como se tudo aquilo já não importasse tanto. No fundo, o que poderia lhe dizer? De repente, o botão do pijama em que eu não parava de mexer há alguns minutos voou na direção dela, sem atingi-la.

Ficamos caladas por alguns instantes. Os seus lábios eram uma fina linha dupla de batom. Em seguida, levantou levemente o dedo.

— Eu me mantinha informada, você sabe. Não pense que não me sinto responsável por você.

— Bem, deixa para lá. — Virei-me de lado, na direção da estampa da antiga Florença na parede. Da cozinha, o cheiro do *ragú* que a senhora

Bice estava preparando. Depois, ouvi o barulho das chaves e a porta de entrada abrindo e fechando, o senhor Giorgio tinha voltado para o almoço.

— Está contente agora? — deixei escapar, em um meio caminho entre acusação e uma espécie de curiosidade.

Não respondeu, mas depois de alguns minutos iluminou-se e tirou a carteira da bolsa. Com delicadeza, puxou uma fotografia, sorriu olhando para ela, colocou-a sobre a mesa e a empurrou satisfeita na minha direção. Desobedeci ao impulso de rasgá-la na sua cara, senti-me superior àquele gesto. Sem me dignar a olhar, virei o menino ao contrário e o empurrei em direção à mãe, até a beirada da mesa. Ela pegou antes que caísse.

O tilintar dos talheres na cozinha indicava-nos que a senhora Bice estava pondo a mesa. Adalgisa se agitou, olhou com um sobressalto para o pequeno relógio de ouro que sempre vi em seu pulso. Levantou-se, eu fiquei imóvel. Não sabia muito mais que antes.

— Espere um momento, por favor. Eu preciso de ajuda para minha irmã Adriana. Ela não pode ficar lá muito mais tempo.

— Em que ano ela está? — perguntou, procurando dissimular a impaciência.

— No sexto ano.

— Está bem, falamos disso da próxima vez, fique tranquila. Lembre-se de que estou com você. E peço para que continue com as boas notas na escola.

Escreveu rapidamente o novo número de telefone em um pedaço de papel.

— Ligue se precisar.

Por alguma razão que não entendi, ela hesitou um pouco com a pressa que tinha. Talvez estivesse se perguntando se era o caso de se aproximar, e o quanto, para se despedir de mim. Mas meu comportamento deve tê-la desencorajado e acabou ficando do outro lado da mesa. Eu também me levantei — com as pernas um pouco fracas — e fui até a janela, como se ela não estivesse mais lá. Olhava para fora, a rua, as varandas sem flores por causa do inverno, o ônibus urbano que trazia as crianças para casa.

# 33

**A PARTIR DAQUELA SEXTA-FEIRA DE JANEIRO, ADAL-** gisa começou a me surpreender. Imaginava que a veria sabe-se lá depois de quanto tempo, ou nunca mais tornaria a vê-la. Gastaria dinheiro comigo mantendo a distância habitual. No entanto, telefonou depois de dois dias. A senhora Bice foi quem atendeu:

— Sim, ela está aqui — disse, olhando-me com atenção.

Nessa hora, falei que precisava ir ao banheiro com urgência e me fechei lá dentro. Sentada na beira da banheira, escutei que falavam de mim — os estudos, as refeições, os assuntos de sempre. Ligou outra vez mais tarde e, então, não consegui me livrar.

— Estava pensando em matricular você na piscina, poderíamos ir lá juntas numa tarde dessas.

— Não tenho interesse — disse sem hesitar.

— A escola de dança, então.

— Também não quero.

Ela tentava insistir, recordando-me de como eu gostava dessas atividades e falando que eu poderia reencontrar minhas amigas.

— Já devem ter se esquecido de mim. E, se você me desculpa, o jantar está pronto.

Não queria dela mais do que o necessário. Mas o não para a escola de dança pesou-me, assim como uma comida indigesta tarde da noite. Eu gostava mesmo de dançar.

Pouco depois, eu a encontrei na saída das aulas em um dia de chuva que tinha começado sereno. Ela me esperava com um grande guarda-chuva em meio à multidão de pais que foram até ali socorrer os filhos. Recuei, mas fui empurrada pelos alunos que saíam em massa. Estava ali justamente para mim, ela me cumprimentou e não pude evitá-la.

— Sabia que você não tinha nada para se proteger da chuva. Fez sol hoje de manhã.

Ofereceu-me o braço e eu ignorei, andava ao lado dela esperando que nenhum dos meus colegas nos notasse. Não saberia explicar quem ela era.

Sentia, naquele momento, uma espécie de alívio, uma tentação de me sentir igual aos outros, pelo menos uma vez. Afinal de contas, alguém também tinha vindo me buscar no temporal de inverno.

Ela falava do carro estacionado um pouco longe, pois todos saíram ao mesmo tempo com aquele tempo ruim. Sobre nós, chovia a cântaros. Avistei o carro azul lavado pela chuva. Cobriu-me enquanto eu entrava e deu a volta para se sentar no lugar do motorista. Ainda tinha um cheiro um pouco acre, lá dentro, desde que uma garrafa de vinagre tinha entornado, anos antes. Mas mais forte ainda era o aroma de seu perfume a cada um de seus movimentos. De manhã, passava atrás da orelha e nos pulsos, conhecia de cor todos aqueles gestos diante do espelho.

No painel, havia um ímã brilhante de São Gabriel com uma pequena fotografia colorida do menino, com a frase "não corra, pense em mim". Ao lado, outro retrato velho, com minha cara desbotada em preto e branco. Olhei as gotas que caíam sobre o vidro embaçado e fiquei quieta até chegarmos a casa.

— Aqui tem carne *alla pizzaiola* que preparei hoje. É só esquentar — disse no portão, entregando-me uma panela pequena envolta em um guardanapo.

Parei alguns instantes na escada. O que estava acontecendo? O que era aquela repentina disponibilidade de Adalgisa? Sua atitude me deixava assustada e confusa. A essa altura, eu já tinha me resignado e perdido a confiança. Mas, de repente, depois do nosso encontro forçado, passou a se mostrar muito gentil. Sentia medo de me entregar de novo a ela. Mas o desejo era inexplicável.

Por algumas semanas, não recebi nenhuma notícia dela. Parecia ter desaparecido outra vez. Lavada e enxuta, a pequena panela da carne esperava por ela em um armário na cozinha da senhora Bice. Eu a teria distanciado com meus modos enfezados? Não, era apenas o início de sua intermitência. Com o tempo, eu me habituei com seu aparecer e desaparecer de tempos em tempos, por períodos mais ou menos curtos. Dividia-se entre mim e a nova família. Eu a esperava, sem confessar nem mesmo a mim. E era sempre assim.

Não me importavam suas visitas, eu estava certa, mas o toque da campainha me sobressaltava.

Chegou com uma malha de lã na minha cor preferida, e eu a arranquei da mão dela com um movimento muito brusco.

— Peguei a vermelha. O tamanho está certo?

Dei de ombros e fui guardá-la sem experimentar, ela me seguiu até o quarto. Olhou em volta.

— Vocês estão meio apertadas aqui — disse, pensativa. Contou que tinha sumido porque estava de mudança. — Desculpe se não deu para nos vermos nos últimos tempos, estava com mil coisas na cabeça.

Tinha voltado para a casa na praia.

— A casa tem de ser toda arrumada. Mas com Guido sempre fora de casa a trabalho e com um menino pequeno serão necessários meses.

Foi a primeira vez que a vi pronunciar o nome do homem que havia mudado nossas vidas. Sorriu quando disse o nome do filho: Francesco, como um dos santos para quem rezava. Eu escutei com atenção, mesmo que de costas, para que ela não notasse meu interesse.

— Sua cama ainda está lá — murmurou mais para si mesma, tocando a coberta dos Abruzos que me aquecia à noite.

Na bolsa tinha mais coisa para mim: meias grossas três quartos, uma pulseira de prata e manteiga de cacau para os lábios sempre rachados. Eu aceitava tudo sem constrangimento, mas também sem agradecer. Enquanto colocava sobre o criado-mudo, decidia o que levar para minha irmã.

— Domingo você vem almoçar em nossa casa? — perguntou, de repente.

— Volto para a cidadezinha aos fins de semana — respondi depois de uma pausa, sem olhar para ela.

— Talvez no próximo — insistiu.

Mas vários domingos se passaram sem sinal dela.

Nas férias da Páscoa, contei do convite para minha mãe em um daqueles momentos de intimidade que surgiam quando ficávamos sozinhas na cozinha. Eu a ajudava a descascar os ovos cozidos que o pároco benzeria.

— Aceite. Lembre-se de que foi Adalgisa quem criou você.

Não foi a única tentativa de conciliação de sua parte, ao longo dos anos. Ela tinha em relação à prima uma espécie de gratidão sem entusiasmo por ter me criado de forma tão diferente de seus outros filhos.

— Se não fosse por ela, em vez de ir pra escola, agora você estaria trabalhando na roça. Você não conheceu a miséria, a miséria é pior do que a fome — disse-me um dia, como advertência. E continuou: — Ela errou, mas você não pode ficar de cara virada para ela a vida inteira.

Adalgisa não falou mais sobre o assunto, mas eu sentia que o almoço era uma ideia fixa dela. Continuávamos a nos ver na casa da senhora Bice, a não ser quando me convenceu a acompanhá-la a uma loja de departamentos. Estava com vontade de gastar, comprou para mim, para o menino. Enquanto íamos de uma seção à outra parecíamos, novamente, uma mãe e uma filha.

Fez uma nova tentativa no início de maio. Subiu entusiasmada e afogueada, com uma estranha inquietação.

— Guido quer conhecer você — disse juntando várias vezes as mãos, como um tipo de aplauso lento e silencioso. — Não me responda não por impulso, eu telefono para você na sexta-feira.

A senhora Bice nos olhava com um sorriso encorajador. Na sexta-feira, ela me deu o telefone, mas antes cobriu um momento o bocal do gancho.

— Vá, ela faz tanta questão.

Assim, surpreendi-me ao me flagrar me arrumando, escolhendo a roupa com o maior cuidado, no domingo de manhã, e realçando os olhos com o lápis preto e o rímel de Sandra, talvez até exagerando um pouco. Adalgisa telefonou logo, impaciente para vir me buscar. Mas eu disse que com aquele sol preferiria ir a pé.

Não estava satisfeita, troquei de roupa na última hora. Coloquei alguma cor nas bochechas pálidas, mesmo sem nem saber exatamente para quem estava me arrumando. Cheguei atrasada ao ponto final do ônibus, Adriana já tinha descido e me esperava com uma cara de dar medo.

— Você endoideceu de me deixar sozinha no meio da cidade? Você me liga na venda do Ernesto, me faz levantar cedo e depois não aparece?

Havia pedido a ela que me acompanhasse, não queria ir sozinha. Eu me arrependi por uns instantes. Usava roupas apertadas e sapatos sujos. Os cabelos sempre oleosos, mesmo sendo domingo, dia do banho. Interceptou o meu olhar.

— Se tivesse lavado a cabeça tinha perdido o carro do correio.

— O ônibus, Adriana, deve dizer que você veio com o ônibus e de surpresa, sem me avisar. — Eu a abracei.

Cuspimos uma de cada vez em um lenço e limpamos os velhos mocassins rindo um pouco. Fomos com passos rápidos, conversando. Eu tinha inúmeras recomendações para lhe fazer.

— Fale italiano, por favor. Fora o pão, não pegue a comida com as mãos, use os talheres. Se não souber como, olhe para mim. E mastigue com a boca fechada, sem fazer barulho com a boca.

— Meu Deus, mas você me dá nos nervos. Parece que vamos à casa da rainha da Inglaterra. Agora você se esqueceu de tudo o que ela fez?

— Não se intrometa. E comporte-se bem caso queira que Adalgisa te ajude a vir para a cidade.

Ainda tínhamos muito caminho pela frente, mas ao chegarmos aos pontos de ônibus urbano, Adriana insistia que queria ir a pé.

Chegamos atrasadas. Toquei a campainha no portão do jardim, o som da campainha era novo, mais melodioso. Tinham substituído também o cercado, agora não se via nada de fora. Num último olhar para o rosto suado de Adriana, arrumei-lhe os cabelos atrás das orelhas, talvez assim se notasse menos que estavam sebentos.

— Não se esqueça — repeti.

Ouvimos o barulho da fechadura e logo entramos. Em uma olhada rápida notei a grama recém-cortada e os canteiros com flores diferentes, dispostos segundo uma ordem geométrica. Uma pequena árvore plantada há pouco, com a terra ainda revolvida. Minha boca estava seca e sentia uma agitação no peito. O homem estava no portão, de camisa branca.

— Esperávamos uma senhorita e vieram duas — disse, sorrindo. Apertou nossa mão como se fôssemos adultas, com um gesto vigoroso e agradável.

— Bom dia. Minha irmã me fez uma surpresa — justifiquei-me.

— Está bem, fiquem à vontade. Colocaremos mais um lugar à mesa.

Na sala de jantar, ficamos paradas e próximas, intimidadas. Na casa, com a aparência idêntica à de antes, alguma coisa indefinível parecia irremediavelmente mudada.

— Adalgisa vem em um minuto, está com o menino. Ele come ao meio-dia em ponto e a esta hora tem de dormir. Enquanto isso vocês podem lavar as mãos, o banheiro é ali.

— Eu sei, obrigada.

Apertando as pernas, Adriana se jogou na porta e a abriu fazendo barulho. Não estava conseguindo segurar o xixi há um tempo e eu havia me esquecido. Enquanto fechava a porta, percebi o olhar que nos tinha seguido.

— Tem umas gotas na calcinha, espero que ninguém sinta o mau cheiro.

Eu a tranquilizei, mas agora estava tensa. Ficou encantada com o armário com as maquiagens, mas eu a obriguei a sair logo dali. Sem relógio, tinha perdido a noção do tempo, parecia-me muito tarde para o almoço.

Não se via ninguém na sala. Duas vozes na cozinha, entretanto, e o cheiro do peixe que Adalgisa costumava preparar. Da vida de antes vinha o impulso para entrar, xeretar as panelas sobre o fogão, experimentar alguma coisa. Dei um passo, mas parei, confusa. A casa não me pertencia mais. Eu era uma visita.

Queria rever o quarto, mesmo que só por alguns instantes.

— Adriana, vou te mostrar onde eu dormia. Era esse aqui ao lado.

Minha cama ainda estava lá, era verdade. Mas haviam desaparecido os meus livros, as pelúcias e as Barbies com que brinquei até o sexto ano. Todas as prateleiras estavam ocupadas por navios em garrafas de todos os tamanhos, algumas muito pequenas, as velas como selos. Um deles, ainda em construção, estava apoiado na escrivaninha, já dentro do vidro, mas com os mastros dobrados sobre o convés e com longos fios estendidos na parte externa, sobre a superfície de madeira. Em volta, as ferramentas: pinças pequenas, um estojo com ferramentas de entalhar e outros minúsculos instrumentos que serviam sabe-se lá para quê.

Não havia nada meu lá dentro.

— Você gosta?

Levei um susto, mas a pergunta feita por uma voz masculina era para Adriana. Eu a tinha perdido de vista, segurava uma garrafa entre aquelas mãos tão curiosas.

— Foi uma das mais difíceis de montar — disse ele aproximando-se para explicar o mistério.

— Você é bom nisso, ficou mesmo muito bonita — elogiou Adriana.

— Tem de tratá-lo por senhor — murmurei em um tom não muito baixo.

— Não precisa, deixe disso, ela é tão espontânea.

Adalgisa chegou, finalmente.

Estava vestida de azul, com um avental de cozinha amarrado por cima. Nenhuma surpresa com Adriana, ela a acolheu com simpatia e perguntou de nossos pais. Depois, pegou minha mão, e eu senti a dela um pouco úmida por causa da emoção.

— Guido, falei dela tantas vezes para você e agora ela está aqui conosco. Vocês já se apresentaram, não é?

— Claro. Você tinha razão, ela é mesmo uma menina muito simpática.

Então ela me apertou mais forte e escapou-lhe um "obrigada", seguido de um pequeno movimento, quase um salto infantil de alegria.

Acompanhou-nos até a mesa e pôs um lugar a mais para Adriana. Quando viu alinhar os talheres de sobremesa diante do prato de borda dourada, minha irmã explodiu.

— Mas o que eu faço com todos esses? Para mim bastam uma faca e um garfo, e uma colher se a sopa for caudalosa.

Eu lhe dei um pisão no pé às escondidas, tinha me colocado a seu lado exatamente para controlá-la. Ele se sentou diante de nós e a olhou, divertindo-se.

— Não se preocupe, use o que quiser. Mas você vai ver que, depois, os pequenos talheres servirão para algo gostoso.

Em seguida, perguntou-lhe se gostava da escola e Adriana respondeu que mais ou menos.

— Você eu já sei que vai bem, Adalgisa sempre me conta — disse-me Guido, quase para se desculpar pelo seu interesse por minha irmã.

Falaram da cidadezinha do interior, aonde ia desde pequeno visitar alguns parentes. Lembrava os almoços infindáveis, as linguiças gostosas. Em troca, Adriana lhe descreveu as onças de Meio-charuto, que ressuscitavam os mortos. Sentia-se verdadeiramente à vontade com ele, e as minhas recomendações haviam sido esquecidas. Eu tremia cada vez que ela abria a boca. Adalgisa ia e vinha da cozinha, contente.

Serviu antepasto do mar e esperou que seu companheiro experimentasse para saber se estava bom. Ele aprovou com um sinal da cabeça. Adriana examinava um lagostim sem a casca, virando-o no garfo.

— Algo errado? — perguntou-lhe Guido.

— Parece um verme — disse, e depois o comeu alegremente.

Puseram-se a brincar sobre os povos que comem insetos e larvas. Eu sentia calor e pouca fome. Já não adiantava mais pisar no pé de Adriana a cada tirada inoportuna.

Adalgisa serviu espaguete *alle vongole*, sujando com um respingo de óleo a camisa de Guido.

— Desculpe, querido, vou agora pegar o talco.

Aplicou-lhe sobre a mancha com mãos devotas, ele inclinou o peito para trás para facilitar. Ela fez nele uma carícia lenta, sobre o peito, antes de deixá-lo e voltar para a cadeira. Nunca a tinha visto assim com seu antigo marido.

— Não tem grãos de areia desta vez? — perguntou ele com ligeira apreensão.

— Grãos de areia são especiais — resmungou Adriana mastigando, mas a questão não era para nós.

— Areia parece que não, até agora. Estão um pouco salgados, mas não atrapalha. Os mariscos tinham de ter ficado mais tempo de molho.

De repente, lá do quarto, uma pequena voz chamou "mamãe".

— Acordou mais cedo. Agora vocês vão conhecê-lo — disse Adalgisa, levantando-se.

— Não, querida, fique aí e coma. Francesco precisa ir aprendendo a respeitar os horários.

— Mas ele começa a chorar — ela protestou, sem muita resistência.

— Nós é que definimos as regras, de acordo com o pediatra. Não importa se ele está chorando, daqui a pouco volta a dormir — disse, e indicou-lhe o prato. — Coragem, está esfriando.

Ela voltou a se sentar, mas na beira da cadeira, com as costas tensas. Enrolou os espaguetes no garfo e os deixou ali, segurando o cabo do garfo com os dedos imóveis. O choro do menino alternava-se em pausas durante as quais o rosto de Adalgisa se tranquilizava. Então, quase levantava o garfo como lhe havia dito Guido. Mas logo o lamento recomeçava, e cada vez mais forte.

Ele bebeu um gole de vinho branco no copo de cristal e enxugou os lábios com o guardanapo.

— Não insista com esse. Se ficou fechado muito tempo deve ser jogado fora. — No tom neutro restava apenas um traço da gentileza brincalhona de antes.

Virei-me para Adriana. Tentava espetar um marisco com a ponta do garfo.

— Não queria desperdiçar — disse, devolvendo o garfo ao prato limpo, sem nenhum resto.

O som da concha contra a cerâmica foi abafado pela voz já alta do menino. O pai tamborilava com a mão direita sobre a mesa. Em um dado momento, levantou-se e nós três o seguimos com os olhos, certas de que se dirigia para o quarto do filho. Entretanto, entrou na cozinha, Adalgisa havia se esquecido do segundo prato: robalo ao forno com batatas. Ela retirou as mãos do colo, sem forças.

— Mas você vai pegá-lo, não vai? — incitou Adriana, aproveitando-se daquela breve ausência.

Adalgisa não respondeu, talvez não tenha nem mesmo ouvido. Guido voltou com a assadeira e a apoiou diretamente sobre a toalha de Flandres. Tirou a pele e as espinhas e serviu nossos pratos com generosas porções de peixe branco. Depois, o acompanhamento.

Disse-nos para comermos, tentando esboçar um sorriso. Os gritos vibravam no ar.

— Talvez não esteja se sentindo bem — tentou Adalgisa, suplicante.

— Daqui a cinco minutos dorme. Isso é manha.

Foi mais uma vez à cozinha e voltou com o cesto de pão. Substituiu o espaguete já frio pelo segundo prato e ela virou o rosto, não queria nem olhar para o prato. Dois sulcos profundos nas laterais da boca a envelheciam repentinamente.

Adriana só experimentou, ninguém tocava na comida. Na mesa só havia silêncio, oposto ao barulho do quarto, a poucos metros. Os gritos diminuíram e cessaram de uma hora para outra, Guido anuiu satisfeito. Mas depois começou de novo, com ainda mais vigor.

Eu não entendia como Adalgisa podia resistir àqueles gritos, eu sofria por ela. Mas era seu companheiro que a mantinha parada com o olhar.

Adriana se levantou e talvez não tivessem percebido. Não tive dúvidas de que precisava ir ao banheiro. Fiquei paralisada no meu lugar, os gritos ocupavam a casa e as mentes. Talvez fossem apenas alguns minutos, mas o tempo daquele choro que tinha mudado o dia parecia interminável. Adalgisa na cadeira, abandonada contra encosto da cadeira, a atenção voltada para o lustre apagado. O borrão da maquiagem em um olho. Ele acompanhava com a ponta dos dedos o fio de ouro da borda do prato. Depois eu o vi estremecer por alguma coisa que via atrás de mim. Eu me virei.

Adriana segurava o menino nos braços, ele já estava se acalmando. Ela o embalava com movimentos leves, o rosto ainda vermelho e transtornado, os cabelos grudados na testa por causa do suor.

— Quem te deu liberdade para pegar meu filho? — disse o pai levantando-se de repente. A cadeira virou atrás dele. Ofegava, uma veia em relevo pulsava-lhe no pescoço.

Adriana nem ligou para ele. Devolveu com delicadeza o menino à mãe.

— Ele prendeu a mão nas grades da cama. — E indicou as marcas vermelhas no pequeno pulso, o inchaço já visível da pele. Arrumou os cabelos dele para trás e enxugou as lágrimas com um guardanapo, antes de voltar a se sentar a meu lado. Adalgisa beijava um por um aqueles dedos doloridos.

Com a mão, senti a perna dura e tesa de minha irmã. Tinha sido tão forte, mas tremia inteira.

Guido ajeitou a cadeira e deixou-se cair sobre ela, os braços pendendo para o chão. Não restava mais nada de quem havia levantado a voz para uma menina, apontando-lhe um dedo ameaçador. Dirigia um olhar vazio para seus dois cálices, de água e de vinho. Não sei por quanto tempo ficou assim, mas é a imagem que guardo dele naquele dia.

Ninguém falava. Só um soluço de vez em quando do menino que voltara a dormir. Bastou-me passar a mão de leve nas costas de Adriana para ela entender que era melhor ficar em silêncio.

— Obrigada pelo almoço. Estava tudo muito gostoso, de verdade. Mas agora é melhor ir, daqui a uma hora minha irmã pega o ônibus para a cidade dela — eu disse, apressada.

Adalgisa nos olhou com olhos impotentes, melancólicos. Com um movimento quase imperceptível, fazia não com a cabeça. Não era assim que tinha imaginado aquele domingo.

Aproximei-me para cumprimentá-la e senti o cheiro de pão quente que exalava de seu filho. De tempos em tempos, sobressaltava-se no sono profundo. Obedeci ao impulso de tocá-lo sobre a malha de tricô de algodão que ele usava. Talvez tivesse sido minha, tão macia. Adalgisa as tinha guardado em uma caixa na prateleira mais alta do armário, junto com outras recordações de minha infância. Instintivamente, tirei um fio de cabelo perdido no azul da roupa, como que para restituí-la à perfeição de antes.

— Comam pelo menos a sobremesa — tentou.

— Talvez da próxima vez — respondeu Adriana.

— Esperem um momento — disse Guido.

Ele embrulhou um pedaço de bolo e nos acompanhou até o portão.

— Estou arrumando aqui fora. Venham de novo e poderemos comer ao ar livre.

Fechei o portão atrás de nós, respiramos fundo.

— Você foi incrível — eu disse a ela.

— Alguém tinha de pegar aquela criatura. Não pensaram que estava gritando de dor?

Seguimos caminhando pela calçada, costeando o jardim. Na esquina mudei de ideia, era muito cedo para o ônibus. Então, eu a convenci a descer até a praia. Havia poucos guarda-sóis abertos, a estação estava apenas começando. Tiramos os sapatos e ela me seguiu até a beira da água, um pouco duvidosa. Estávamos quase no mesmo ponto daquele dia distante com Vincenzo. Em silêncio, lembramo-nos dele.

Adriana me olhou como se eu tivesse enlouquecido, depois despiu-se também e largou as roupas na areia morna, junto com seu medo. Deu a mão para mim e entramos no mar, só com a roupa de baixo. Um cardume de peixes minúsculos tocava nossos calcanhares. Depois de nos habituarmos ao frio, ela caminhava cautelosa e eu nadava à sua volta. Atirei água nela e, em troca, enfiou minha cabeça debaixo d'água.

Ficamos paradas uma diante da outra, tão sozinhas e próximas, eu mergulhada até o peito e ela, agora, até o pescoço. Minha irmã. Como uma flor improvável, crescida em um pequeno monte de terra grudado numa rocha. Com ela, aprendi a resistência. Hoje somos menos parecidas nos traços, mas o fato de termos sido jogadas no mundo tem o mesmo significado para nós duas. Na cumplicidade, nos salvamos.

Olhamo-nos sobre a tremulação leve da superfície, os reflexos ofuscantes do sol. Às nossas costas, o limite das águas seguras. Abaixando um pouco as pálpebras, eu a aprisionei entre os cílios.

## CONHEÇA TAMBÉM:

## RUMO AO SUL

E se você descobrisse que viveu muito tempo sob perspectivas equivocadas? E que foi cruel com uma das pessoas que mais amava no mundo? Essa é a jornada...

## A MULHER COM OLHOS DE FOGO

Um dos livros mais francos e radicais sobre a vida feminina, de todas as origens, em todas as partes do mundo.

**ASSINE NOSSA NEWSLETTER E RECEBA INFORMAÇÕES DE TODOS OS LANÇAMENTOS**

**www.faroeditorial.com.br**

Há um grande número de portadores do vírus HIV e de hepatite que não se trata. Gratuito e sigiloso, fazer o teste de HIV e hepatite é mais rápido do que ler um livro.

FAÇA O TESTE. NÃO FIQUE NA DÚVIDA!

CAMPANHA

ESTA OBRA FOI IMPRESSA EM OUTUBRO DE 2021